Le Chien jaune

Le Chien jaune

Georges Simenon

edited by

Eve Katz   **Donald R. Hall**
Yale University   Columbia University

Harper & Row, Publishers
New York, Evanston, and London

448
SIM
10/88

Introduction

❧ Few novelists writing in French today are better known or appeal to a wider public than Georges Simenon. The popularity of his works transcends both international boundaries and distinctions set up among his readers by varying educational and social backgrounds. His books are read all over the world, having been translated into as many as twenty-eight languages, and in addition have been widely diffused by various media: forty-six have been filmed, and they have served as the basis for several plays and many radio and television programs in several countries. Simenon is no doubt the most prolific author of the twentieth century in any language, for since 1930 he has published more than 163 titles, including novels, autobiography, and short stories, without taking into account his early journalistic production or the innumerable magazine stories and novelettes he wrote between 1923 and 1934 and published under at least nineteen pseudonyms.

His literary vocation declared itself at an early age. Born on Friday the 13th of February, 1903, in Liège, Belgium, of mixed French and Flemish parentage, Simenon was obliged at age fifteen to leave school and find work, because of the illness and subsequent death of his father. His first job of some permanence was that of reporter for a local newspaper, the *Gazette de Liège*, where from age sixteen to nineteen he was entrusted with the column devoted to *"chiens écrasés."* He performed this task so well that soon he had his own column of local gossip called *Hors du Poulailler* which he signed with the proud pen-name of *"Monsieur le Coq."*

Enlisting early in order to get his compulsory military service out of the way, upon its completion in 1922 Simenon lost no time in departing for Paris, determined to make writing his career. He is himself without illusions concerning the quality of the stories and novels he produced during the decade of the twenties. He frankly admits that they were insignificant pot-boilers, designed to procure him independence and the leisure necessary for his unhampered development as a writer. He was training himself for more serious work, and saw no reason why his period of apprenticeship should not be both pleasant and profitable. Writing was further intended to provide a means of escaping from the milieu of his childhood and adolescence, of becoming someone, of making a name for himself. Something of the bleakness and sense of frustration which determined his reaction and flight are apparent in the autobiographical *Je me souviens* (1946)—a book Simenon was initially prompted to write by an incorrect diagnosis of a heart condition which gave him only two more years to live. He was to succeed in his determination to free himself from the restraints of the past, but echoes of that early drab existence are present everywhere in his later literary production.

Late in 1929, with the success of several *nouvelles policières* Simenon decided to concentrate for a time upon achieving eminence as a detective novelist, using as hero one of his minor characters, the *commissaire Maigret*, who in time will take his place alongside Sherlock Holmes and Hercule Poirot as one of the most memorable of fictional sleuths. The *commissaire* appears in twenty-four novels written during the period 1930–1931!

These Maigret stories may be considered "transitional" works, for the next phase of Simenon's career, approximately 1934–1948, is marked by the almost total absence of Maigret and preoccupation with novels of a more serious intent which the author has called his "*romans durs.*" The apprenticeship is over, the "pre-literary" pseudonymous works of the twenties and the "semi-literary" detective novels are left behind. Published by Gallimard, the books of this period taken as a whole reveal most clearly the peculiar nature of Simenon's universe, sombre and tinged with pessimism, in which the heroes, who might otherwise be any man off the street, are shown at those moments of crisis in their lives when they are pushed or push themselves to the extreme limit of their capacities, *jusqu'au bout d'eux-mêmes.*

Since 1946, with the publisher Presses de la Cité, Simenon has continued to write serious novels and has also returned to Maigret, for relaxation and, in all likelihood, out of a sense of loyalty to the character he created. In any series of five or six novels, he has typically turned out one or two Maigret stories. Although he owes them the greater part of his fame and popularity, Simenon considers the Maigret novels the least important part of his output. Still, they provide him with agreeable diversion in the intervals separating the more difficult, more exhausting serious novels, which do contain his most developed efforts of character study and psychological penetration. At the same time, the Maigret novels have themselves deepened in their presentation of believable human types, while maintaining a swiftness of narration and accent upon plot development characteristic of the typical detective story.

Simenon's enormous production has been made possible only by a remarkable capacity for work and a rigorous organization of working conditions. In his early days in Paris, he was at his typewriter in the very early morning, and did not leave it until he had finished his eighty pages for the day. His idea of happiness was to have only forty to do instead! Simenon has always thought that the writer, the artist, the creator, should be thought of first of all as an *artisan*, who uses to best advantage a certain technique which he has acquired and perfected. He is impatient with those who think a writer must necessarily have and express personal ideas concerning the great problems of philosophy, politics, or economics. He claims not to have any such ideas, and in any case would not consider them as proper material for his novels.

Simenon today, having traveled all over the world, and after a prolonged period of residence in the United States, at Lakeville, Connecticut, lives the regulated life of a craftsman in his Château d'Echandens near Lausanne, Switzerland. Interviewers are told that when he feels the desire to write coming upon him, he does not hesitate to have himself and his wife and children undergo a medical examination, so that he will not risk having his work interrupted by illness. He finds it absolutely impossible to resume a novel if it has once been interrupted. While writing, he isolates himself completely, at home or even sometimes in a windowless hotel room, with nothing but the essential materials: pencils, a typewriter, a telephone book for finding names of characters, a map of the place of the action, a few notes scribbled on the backs of envelopes. In these conditions he has written many novels in less than two weeks, eleven days being the average time necessary. His novels tend to be short because he finds it too exhausting physically to maintain for long the tension necessary for creation. Simenon is passionately interested in law and medicine, and his books generally reflect his expert knowledge of these subjects. He is proud of the fact that an experienced physician finds it possible to diagnose the physical condition of many of his characters half-way through the book.

Stylistically, Simenon does not strive for elegance and refinement. Early in his career, Colette told him that his stories were too literary. Since then, revising his works consists for him mainly in ruthlessly eliminating from the text any words or expressions smacking of "literature," that is, which are there merely for effect. Simplicity, directness, and unpretentiousness are characteristic of Simenon's style. It is with the simplest of methods that he has been able to create the distinctive "atmosphere" for which his books are known, achieved by the voluntary simplification of general conditions—in France, north of the Loire and in Brittany, there seems to be continual rain. South of the Loire, sunshine prevails. In the novels with an American setting, the traffic is always very heavy no matter what the hour, and parents are never able to control their children. Though this kind of approximation will do for Simenon as far as "atmosphere" is concerned (a word he dislikes in any case), he is more exigent in other respects and takes particular pains to endow his characters with a convincing psychology and personality.

When questioned as to the authors which may have influenced him, Simenon mentions the great impression made upon him in his youth by Dostoevski, Gorki, and above all, Gogol, writers to whom he was introduced by the Slavic students who lived in his mother's boarding house in Liège. Like the Russians, Simenon's sympathy goes out to the poor and humble of this world, to the humiliated and wronged. This is reflected in the detective novels by Maigret's compassion for the little people whose destiny leads them to crime, and by the repulsion he feels for a certain self-satisfied and self-righteous bourgeoisie. But Simenon does not preach, any more than he judges the manifold specimens of humanity he presents in his novels, so varied as to earn him the title of "*collectionneur d'hommes.*"

The detective novel has not usually enjoyed the attention of serious critics or the respect of those with intellectual pretensions. Simenon is practically unique among modern practitioners of the genre in having received the homage of such admirers as Ernest Hemingway, Thornton Wilder, W. S. Maugham, François Mauriac, Sacha Guitry, Maurice Vlaminck, and Jean Renoir. André Gide, who spoke of Simenon as an authentically great contemporary writer, is said to have been engaged upon a study of his fiction at the end of his life.

Though Gide's esteem for Simenon was probably not excited in the first place by the detective stories, the genre itself is nonetheless not without some claims to distinction, and over the years it has quietly but persistently won the enthusiasm of discriminating readers. After all, Edgar Allan Poe was the father of the detective story as we know it today; *The Murders in the Rue Morgue* was published in 1841. Charles Dickens' *Bleak House* is a kind of mystery story. But the most famous name associated almost exclusively with the detective novel is that of Sir Arthur Conan Doyle. His *Study in Scarlet* (1887) first revealed to the public the fascinatingly eccentric Sherlock Holmes, whose intriguing personality and brilliant analytical faculties have made him the model for countless imitators.

Although the Anglo-Saxons have tended to dominate the field of the detective novel, the French have contributed significantly to its development. In France the genre attained real popularity in the 1860's. A precursor had been Alexandre Dumas' *Le Vicomte de Bragelonne* (1848), in which D'Artagnan, one of the three musketeers, enacts the role of detective; however, it is a book in which the spirit of adventure rather than of detection still predominates. The French counterpart of Poe was Emile Gaboriau (1835–1873) who, by lengthening the form and complicating and elaborating its content, really launched the *roman policier* in Europe. His protagonist, Monsieur Lecoq, is probably the earliest of the famous detectives of literature—earlier than Sherlock Holmes—and a book like *Le Dossier No. 113* (1867) has become a classic of its kind. The same character, Monsieur Lecoq, was also used by the now-forgotten Fortuné Du Boisgobey (1821–1891), who helped to popularize detective fiction in France and who influenced Sir Arthur Conan Doyle.

Although variations in customs, police methods, and mental and temperamental attitudes often lead to indifference toward foreign detective stories, two highly popular French writers born in the last century have known success in the United States: Maurice Leblanc (1864–1925), who created Arsène Lupin, a gentleman crook and sometime detective, and Gaston Leroux (1868–1927), whose Joseph Rouletabille, a crime reporter, uses his exceptional reasoning powers to outwit the professional detectives. Georges Simenon's Inspector Maigret does therefore have ancestors, but he differs from them in many ways. He is no wit, no athlete, no dandy, as some other sleuths were, nor is he a mastermind. While he does not entirely reject science and logic, his method of detection, if he may be said to have one, is primarily intuitional and his main tool is imagination.

Simenon has said that he used the name of Maigret, still dissociated from any distinct personality, as early as 1925 in some *romans populaires* of which no copies now remain. In the novels we have, Maigret appears first in *Train de nuit*, published in 1931. *Le Chien jaune* was published the same year, and accordingly belongs to that early series of "vintage" Maigret novels published by Arthème Fayard in which the Inspector first captured the imagination of the public and which many Simenon enthusiasts prefer to any of the later series. The year 1931 was indeed a fruitful one: Simenon wrote *Le Chien jaune* in March, another book followed in April, one more in May, another in June, two in July, one in September, two in October, and one in December! *Le Chien jaune* has been one of the most favored of the group, for it was one of the very first novels by Simenon to be filmed, and was heard in a version for radio in England in 1957.

Today, more than three decades later, Maigret is still solving crimes, and he has, over the years, developed as characteristic a manner in the realm of detection as his creator has in that of detective novel writing. Many of Maigret's and Simenon's most distinguishing features are already present in *Le Chien jaune*, at least in embryo. Although here Maigret and his reactions are still less emphasized than the drama, already the reader senses, as will be even more the case in later novels, that the actual solution of the mystery is somehow of secondary importance. The accent is less on accumulating material clues than on expanding our insight into the characters. Already for Maigret it is not so much a question of solving a problem as of understanding the drama of human lives and the workings of the human mind. Facts are exposed not as the careful brush-strokes which will finally produce the finished painting, but in the manner of a sketch, with broad and incomplete outlines. Simply, but suggestively, without insistence, Simenon's reconstruction of the atmosphere of the little Breton town, Concarneau, where he spent the autumn and winter of 1930, draws the reader effortlessly into the story, presents him with characters who are products of their past and of their milieu and a criminal who is himself the prime victim. This last feature will recur almost obsessively in a number of later novels.

Maigret is not present in every scene of Le Chien jaune, but as the story progresses he dominates the action more and more, in his unobtrusive way, revealing at the same time traits which subsequent novels will confirm as typical of him. That this stocky, pipe-smoking detective identifies himself with the lower middle classes and betrays a certain curious uneasiness in the presence of the rich and in opulent surroundings is clear from his scenes with Emma and the mayor of Concarneau. He is shown as taciturn, often gruff; but as his handling of Léon indicates, he can also be comprehending and generous. Simenon has said that he has some-times thought of Maigret as a "raccommodeur des destinées," and this aspect comes into play at the end of Le Chien jaune.

As far as his professional work is concerned, Maigret is a loner and ultimately solves his crimes by himself, though Simenon frequently exploits the convention of the admiring but rather thick-headed companion. In Le Chien jaune the young, inexperi-enced Leroy serves as a foil to Maigret by his lack of compre-hension of the Inspector's unorthodox approach, and provokes by contrast a greater admiration for Maigret in the mind of the reader. Maigret's disdain for the strictly orthodox procedures of crime detection, so puzzling to Leroy, becomes even more pro-nounced in later books.

Le Chien jaune affords some insight into the famous Maigret "method," one which by its very nature is always one of the mysteries of the novels in which he appears, and frequently an unsolved one. In fact, from this book, it would seem that Maigret's method is to have no method at all. Skeptical of the usefulness of scientific aids, Maigret proceeds much as Simenon himself does in constructing a plot: he needs to get inside the people involved, and to that end he reconstructs their daily routine; he attempts to understand the crime by entering himself into the very conditions of their existence, as solidly as he enters into the café in Concar-neau—where as he sits at a table he does not think. He absorbs the total atmosphere, he reconstructs possibilities with a kind of intu-itive genius based upon sympathy with human beings and a know-ledge of their nature gained from experience. His imagination is nourished by brute reality, by anything that can be touched or seen. In *Le Chien jaune* he will find it necessary to wander about the town in apparently aimless fashion, make an excursion to the doctor's house and that of Le Pommeret, examine the dog, and contrive to see Emma and Léon together. He associates setting and suspect: to understand the second he must study the first. The novelist insists upon this link between characters and décor, as witness the mayor and his fine house, Emma and the drab café frequented by a slightly seedy clientele, the *nouveau riche*, tasteless character of the doctor's residence. This fusion suggests an essential rapport between people and their surroundings in a fundamentally symbolic way. In like manner the weather depicted in *Le Chien jaune* is intimately connected with Maigret's investigations and indeed establishes the dominant tonality of the book at the outset. As Maigret finally arrives at a solution, the weather changes from foul to fair.

The inductive method of logical progression usual in detective fiction is entirely abandoned in the Maigret books. Circumstantial proofs are frequently lacking. As a result the Inspector's gift of intuition, almost of clairvoyance, may be disquieting. We know where we are once the last stroke has been applied to a canvas. But when a sketch is finished, there are many details missing. Often in a Simenon detective novel, the solution of the crime does not calm the uneasiness created by the suspense, and this may well be due to the fact that our reason has been denied certain explanations. It may result also, of course, from the fact that a feeling of anti-climax is inevitable when the resolution of the plot involves the solution of a mystery sustained by suspense.

However that may be, Simenon's great merit and originality in the field of detective fiction seems to be this: he has progressively shifted the main interest of his stories from "whodunit" to "why was it done": this feature is more apparent in later Maigret novels than in *Le Chien jaune*, yet even here we can see it developing in the attention given to the background and the states of health of various characters, with the aim of showing us how their manner of living and being is related to their involvement in crime.

We have spoken earlier of Simenon's literary activity in rather negative terms: he claims to have no theories, almost no ideas; he does not bother himself with the technique of the novel or with a style that draws attention to itself. He is consistently self-effacing. Yet there is perhaps here an art that conceals art, which in its transparency opposes no obstacle to the readers' imaginative identification with the scene and the characters, just as Simenon's Maigret allows no futile and artificial reasonings to interfere with his direct and intuitive grasp of human relationships and the acts of desperation a man is capable of when obliged to go to his limit, to the end of his tether.

Le Chien jaune

Le Chien sans maître

∾ Vendredi 7 novembre. Concarneau[1] est désert. L'horloge lumineuse de la vieille ville,[2] qu'on aperçoit au-dessus des remparts, marque onze heures moins cinq.

C'est le plein de la marée[3] et une tempête du sud-ouest fait s'entrechoquer les barques dans le port. Le vent s'engouffre 5

[1] **Concarneau** *petit port de Bretagne, sur l'Atlantique*
[2] **La vieille ville** *c.-à-d., la partie ancienne de la ville par opposition au quartier moderne*
[3] **le plein de la marée** *marée haute*

dans les rues, où l'on voit parfois des bouts de papier filer à toute allure[4] au ras du[5] sol.

Quai de l'Aiguillon, il n'y a pas une lumière. Tout est fermé. Tout le monde dort. Seules les trois fenêtres de l'hôtel de l'Amiral, à l'angle de la place et du quai, sont encore éclairées. 5

Elles n'ont pas de volets mais, à travers les vitraux verdâtres, c'est à peine si on devine des silhouettes.[6] Et ces gens attardés au café, le douanier de garde les envie, blotti dans sa guérite, à moins de[7] cent mètres.

En face de lui, dans le bassin, un caboteur qui, l'après- 10 midi, est venu se mettre à l'abri. Personne sur le pont. Les poulies grincent et un foc mal cargué claque au vent. Puis il y a le vacarme continu du ressac, un déclic à l'horloge, qui va sonner onze heures.

La porte de l'hôtel de l'Amiral s'ouvre. Un homme paraît, 15 qui continue à parler un instant par l'entrebâillement à des gens restés à l'intérieur. La tempête le happe, agite les pans de son manteau, soulève son chapeau melon qu'il rattrape à temps[8] et qu'il maintient sur sa tête tout en marchant.[9]

Même de loin, on sent qu'il est tout guilleret, mal assuré 20 sur ses jambes et qu'il fredonne. Le douanier le suit des yeux, sourit quand l'homme se met en tête[10] d'allumer un cigare. Car c'est une lutte comique qui commence entre l'ivrogne, son manteau que le vent veut lui arracher et son chapeau qui fuit le long du trottoir. Dix allumettes s'éteignent. 25

Et l'homme au chapeau melon avise un seuil de deux marches, s'y abrite, se penche. Une lueur tremble, très brève. Le fumeur vacille, se raccroche au bouton de la porte.

Est-ce que le douanier n'a pas perçu un bruit étranger à la tempête? Il n'en est pas sûr. Il rit d'abord en voyant le noc- 30 tambule perdre l'équilibre, faire plusieurs pas en arrière, telle-ment penché que la pose en est incroyable.

Il s'étale sur le sol, au bord du trottoir, la tête dans la boue

---

[4] **à toute allure** à toute vitesse
[5] **au ras de** à la surface de
[6] **c'est ... silhouettes** on devine difficilement des silhouettes
[7] **à moins de** à une distance de moins de
[8] **à temps** assez tôt
[9] **tout en marchant** pendant qu'il marche
[10] **se met en tête** a l'idée

du ruisseau. Le douanier se frappe les mains sur les flancs pour les réchauffer, observe avec humeur le foc dont les claquements l'irritent.

Une minute, deux minutes passent. Nouveau[11] coup d'œil à l'ivrogne, qui n'a pas bougé. Par contre un chien, venu 5 on ne sait d'où, est là, qui le renifle.

« C'est seulement à ce moment que j'ai eu la sensation qu'il s'était passé quelque chose ! » dira le douanier au cours de l'enquête.

❦ 10

Les allées et venues[12] qui succédèrent à cette scène sont plus difficiles à établir dans un ordre chronologique rigoureux. Le douanier s'avance vers l'homme couché, un peu rassuré par la présence du chien, une grosse bête jaune et hargneuse. Il y a 15 un bec de gaz à huit mètres. D'abord le fonctionnaire ne voit rien d'anormal. Puis il remarque qu'il y a un trou dans le pardessus de l'ivrogne et que de ce trou sort un liquide épais.

Alors il court à l'hôtel de l'Amiral. Le café est presque vide. Accoudée à la caisse, une fille de salle.[13] Près d'une table de 20 marbre, deux hommes achèvent leur cigare, renversés en arrière, jambes étendues.

« Vite !... Un crime... Je ne sais pas... »

Le douanier se retourne. Le chien jaune est entré sur ses talons et s'est couché aux pieds de la fille de salle. 25

Il y a du flottement, un vague effroi dans l'air.

« Votre ami, qui vient de sortir... »

Quelques instants plus tard, ils sont trois à se pencher sur le corps, qui n'a pas changé de place. La mairie, où se trouve le poste de police, est à deux pas. Le douanier préfère s'agiter. Il 30 s'y précipite, haletant, puis se suspend à la sonnette d'un médecin.

Et il répète, sans pouvoir se débarrasser de cette vision :

« Il a vacillé en arrière comme un ivrogne et il a fait au moins trois pas de la sorte... »[14]

---

[11] **nouveau** encore un
[12] **les allées et venues** les diverses actions
[13] **une fille de salle** une serveuse
[14] **de la sorte** c.-à-d., *comme le ferait un ivrogne*

Cinq hommes... six... sept... Et des fenêtres qui s'ouvrent un peu partout,[15] des chuchotements...

Le médecin, agenouillé dans la boue, déclare :

« Une balle tirée à bout portant en plein ventre...[16] Il faut opérer d'urgence...[17] Qu'on téléphone à l'hôpital... »[18]

Tout le monde a reconnu le blessé, M. Mostaguen, le principal négociant en vins de Concarneau, un bon gros qui n'a que des amis.

Les deux policiers en uniforme — il y en a un qui n'a pas trouvé son képi[19] — ne savent par quel bout[20] commencer l'enquête.

Quelqu'un parle, M. Le Pommeret, qu'à son allure[21] et à sa voix on reconnaît immédiatement pour un notable.

« Nous avons fait une partie de cartes ensemble, au café de l'Amiral, avec Servières et le docteur Michoux... Le docteur est parti le premier, voilà une demi-heure...[22] Mostaguen, qui a peur de sa femme, nous a quittés sur le coup d'onze heures... »

Incident tragi-comique. Tous écoutent M. Le Pommeret. On oublie le blessé. Et le voici qui ouvre les yeux, essaie de se soulever, murmure d'une voix étonnée, si douce, si fluette que la fille de salle éclate d'un rire nerveux :

« Qu'est-ce que c'est !... »

Mais un spasme le secoue. Ses lèvres s'agitent. Les muscles du visage se contractent tandis que le médecin prépare sa seringue pour une piqûre.

Le chien jaune circule entre les jambes. Quelqu'un s'étonne.

« Vous connaissez cette bête ?...

— Je ne l'ai jamais vue...

— Sans doute un chien de bateau... »

Dans l'atmosphère de drame, ce chien a quelque chose

[15] **un peu partout** dans toutes les directions
[16] **en plein ventre** droit dans le ventre
[17] **d'urgence** immédiatement
[18] **Qu'on téléphone à l'hôpital** « *Somebody call the hospital.* » Que + 3e personne du subjonctif est une construction qui équivaut à un impératif ; l'usage du subjonctif résulte d'une expression non-exprimée de volition.
[19] **képi** coiffure typique de certains militaires et fonctionnaires français (soldats de l'armée de terre, policiers, facteurs, douaniers, etc.) ; munie d'une visière, elle est ronde et haute
[20] **par quel bout** où
[21] **à son allure** d'après son apparence
[22] **voilà une demi-heure** il y a une demi-heure

d'inquiétant. Peut-être sa couleur, d'un jaune sale? Il est haut sur pattes,[23] très maigre, et sa grosse tête rappelle à la fois le mâtin et le dogue d'Ulm.[24]

A cinq mètres du groupe, les policiers interrogent le douanier, qui est le seul témoin de l'événement.

On regarde le seuil de deux marches. C'est le seuil d'une grosse maison bourgeoise dont les volets sont clos. A droite de la porte, une affiche de notaire[25] annonce la vente publique de l'immeuble pour le 18 novembre.

« *Mise à prix*[26] : *80 000 francs...* »

Un sergent de ville chipote longtemps sans parvenir à forcer la serrure, et c'est le patron du garage voisin qui la fait sauter[27] à l'aide d'un tournevis.

La voiture d'ambulance arrive. On hisse M. Mostaguen sur une civière. Les curieux n'ont plus d'autre ressource que de contempler la maison vide.

Elle est inhabitée depuis un an. Dans le corridor règne une lourde odeur de poudre et de tabac. Une lampe de poche éclaire, sur les dalles du sol, des cendres de cigarette et des traces de boue qui prouvent que quelqu'un est resté assez longtemps à guetter derrière la porte.

Un homme, qui n'a qu'un pardessus sur son pyjama, dit à sa femme :

« Viens ! Il n'y a plus rien à voir... Nous apprendrons le reste demain par le journal... M. Servières est là... »

Servières est un petit personnage grassouillet, en paletot mastic, qui se trouvait avec M. Le Pommeret à l'hôtel de l'Amiral. Il est rédacteur au *Phare de Brest*,[28] où il publie entre autres[29] chaque dimanche une chronique humoristique.

[23] **Il est haut sur pattes** Il a de longues jambes
[24] **le dogue d'Ulm** *race de chien de garde à tête courte, épaisse, et à fortes mâchoires, provenant de la région d'Ulm, ville d'Allemagne*
[25] **une affiche de notaire** *c.-à-d., un avis officiel*
[26] **mise à prix** *prix demandé*
[27] **qui la fait sauter** *qui l'arrache*
[28] **Phare de Brest** *journal fictif de Brest, une des villes principales de Bretagne, qui se trouve à une centaine de kilomètres au nord de Concarneau*
[29] **entre autres** *c.-à-d., avec d'autres articles*

Il prend des notes, donne des indications, sinon des ordres, aux deux policiers.

Les portes qui ouvrent sur le corridor sont fermées à clef. Celle du fond, qui donne accès à un jardin, est ouverte. Le jardin est entouré d'un mur qui n'a pas[30] un mètre cinquante de haut. De l'autre côté de ce mur, c'est une ruelle, qui débouche sur le quai de l'Aiguillon.

« L'assassin est parti par là! »[31] annonce Jean Servières.

❧

C'est le lendemain que Maigret établit tant bien que mal[32] ce résumé des événements. Depuis un mois, il était détaché à[33] la Brigade Mobile de Rennes,[34] où certains services étaient à réorganiser. Il avait reçu un coup de téléphone alarmé du maire de Concarneau.

Et il était arrivé dans cette ville en compagnie de Leroy, un inspecteur avec qui il n'avait pas encore travaillé.

La tempête n'avait pas cessé. Certaines bourrasques faisaient crever sur la ville de gros nuages qui tombaient en pluie glacée. Aucun bateau ne sortait du port et on parlait d'un vapeur[35] en difficulté au large des Glénan.[36]

Maigret s'installa naturellement à l'hôtel de l'Amiral, qui est le meilleur de la ville. Il était cinq heures de l'après-midi et la nuit venait de tomber quand il pénétra dans le café, une longue salle assez morne, au plancher gris semé de sciure de bois, aux tables de marbre, qu'attristent encore les vitraux verts des fenêtres.

Plusieurs tables étaient occupées. Mais, au premier coup d'œil, on reconnaissait celle des habitués, les clients sérieux,[37] dont les autres essayaient d'entendre la conversation.

---

[30] **qui n'a pas** qui a presque
[31] **par là** dans cette direction
[32] **tant bien que mal** aussi bien que possible
[33] **détaché à** provisoirement attaché à
[34] **Brigade Mobile de Rennes:** *Les brigades mobiles sont des branches régionales de la police judiciaire, elle-même une subdivision de la Sûreté nationale; Rennes est la ville principale et le centre administratif de Bretagne*
[35] **vapeur** *c.-à-d., bateau à vapeur*
[36] **les Glénan** *petit archipel de la côte du Finistère*
[37] **sérieux** *c.-à-d., fidèles*

Quelqu'un se leva, d'ailleurs, à cette table, un homme au visage poupin, à l'œil rond, à la lèvre souriante.

« Commissaire Maigret?... Mon bon ami le maire m'a annoncé votre arrivée... J'ai souvent entendu parler de vous... Permettez que je me présente... Jean Servières... Hum!... Vous 5 êtes de Paris, n'est-ce pas?... Moi aussi!... J'ai été longtemps directeur de la Vache-Rousse,[38] à Montmartre... J'ai collaboré au *Petit Parisien*, à *Excelsior*, à *La Dépêche*... J'ai connu intimement un de vos chefs, ce brave[39] Bertrand, qui a pris sa retraite l'an dernier pour aller planter ses choux[40] dans la Nièvre...[41] Et 10 j'ai fait comme lui!... Je suis pour ainsi dire[42] retiré de la vie publique... Je collabore, pour m'amuser, au *Phare de Brest*... »

Il sautillait, gesticulait.

« Venez donc, que je vous présente notre tablée... Le dernier carré de joyeux garçons de Concarneau... Voici Le 15 Pommeret, impénitent coureur de filles, rentier de son état et vice-consul de Danemark... »

L'homme qui se leva et tendit la main était en tenue de gentilhomme campagnard : culottes de cheval à carreaux, guêtres moulées, sans un grain de boue, cravate-plastron en piqué blanc. 20 Il avait de jolies moustaches argentées, des cheveux bien lissés, un teint clair et des joues ornées de couperose.

« Enchanté,[43] commissaire... »

Et Jean Servières continuait :

« Le docteur Michoux... Le fils de l'ancien député... Il 25 n'est d'ailleurs médecin que sur le papier, car il n'a jamais pratiqué... Vous verrez qu'il finira par vous vendre du terrain... Il est propriétaire du plus beau lotissement de Concarneau et peut-être de Bretagne... »

Une main froide. Un visage en lame de couteau,[44] au nez 30 de travers.[45] Des cheveux roux déjà rares, bien que le docteur n'eût pas trente-cinq ans.

[38] **la Vache-Rousse** *cabaret parisien*
[39] **brave** bon *Notez que brave après le nom signifie* courageux
[40] **aller planter ses choux** aller vivre à la campagne
[41] **Nièvre** *département du centre de la France*
[42] **pour ainsi dire** en quelque sorte
[43] **Enchanté** c.-à-d., « enchanté *de faire votre connaissance* »
[44] **un visage... couteau** un visage long et mince
[45] **de travers** oblique

« Qu'est-ce que vous buvez?... »

Pendant ce temps, l'inspecteur Leroy était allé prendre langue[46] à la mairie et à la gendarmerie.

Il y avait dans l'atmosphère du café quelque chose de gris, de terne, sans qu'on sût préciser quoi. Par une porte ouverte, on 5 apercevait la salle à manger où des serveuses en costume breton dressaient les tables pour le dîner.

Le regard de Maigret tomba sur un chien jaune, couché au pied de la caisse. Il leva les yeux, aperçut une jupe noire, un tablier blanc, un visage sans grâce et pourtant si attachant que 10 pendant la conversation qui suivit il ne cessa de l'observer.

Chaque fois qu'il détournait la tête, d'ailleurs, c'était la fille de salle qui rivait sur lui son regard fiévreux.

❧
15
« Si ce pauvre Mostaguen, qui est le meilleur bougre de la terre, à cela près qu'il[47] a une peur bleue de[48] sa femme, n'avait pas failli y laisser la peau,[49] je jurerais que c'est une farce de mauvais goût... »

C'était Jean Servières qui parlait. Le Pommeret appelait 20 familièrement :

« Emma!... »

Et la fille de salle s'avançait :

« Alors?... Qu'est-ce que vous prenez?... »

Il y avait des demis vides sur la table. 25

« C'est l'heure de l'apéritif! remarqua le journaliste. Autrement dit, l'heure du pernod...[50] Des pernods, Emma... N'est-ce pas, commissaire?... »

Le docteur Michoux regardait son bouton de manchette d'un air absorbé. 30

« Qui aurait pu prévoir que Mostaguen s'arrêterait sur le seuil pour allumer son cigare? poursuivait la voix sonore de Servières. Personne, n'est-ce pas? Or, Le Pommeret et moi habitons de l'autre côté de la ville! Nous ne passons pas devant la

[46] **prendre langue** se renseigner
[47] **à cela près que** sauf que
[48] **une peur bleue de** très peur de
[49] **y laisser la peau** y mourir
[50] **pernod** boisson alcoolique exceptionnellement forte. « Pernod » est la marque la plus connue.

maison vide! A cette heure-là, il n'y avait plus que nous trois à circuler dans les rues... Mostaguen n'est pas le type à avoir des ennemis... C'est ce qu'on appelle une bonne pâte...[51] Un garçon dont toute l'ambition est d'avoir un jour la Légion d'honneur...[52]

— L'opération a réussi?...

— Il s'en tirera...[53] Le plus drôle est que sa femme lui a fait une scène à l'hôpital, car elle est persuadée qu'il s'agit d'une histoire d'amour!... Vous voyez ça?...[54] Le pauvre vieux n'aurait même pas osé caresser sa dactylo, par crainte des complications! 10

— Double ration!... dit Le Pommeret à la serveuse qui versait l'imitation d'absinthe.[55] Apporte de la glace, Emma... »

Des clients sortirent, car c'était l'heure du dîner. Une bourrasque pénétra par la porte ouverte, fit frémir les nappes de la salle à manger. 15

« Vous lirez le papier que j'ai écrit là-dessus et où je crois avoir étudié toutes les hypothèses. Une seule est plausible : c'est que l'on se trouve en présence d'un fou... Par exemple, nous qui connaissons toute la ville, nous ne voyons pas du tout qui pourrait avoir perdu la raison... Nous sommes ici chaque soir... Parfois le 20 maire vient faire sa partie[56] avec nous... Ou bien Mostaguen... Ou encore on va chercher, pour le bridge, l'horloger qui habite quelques maisons plus loin...

— Et le chien?... »

Le journaliste esquissa un geste d'ignorance. 25

« Personne ne sait d'où il sort...[57] On a cru un moment qu'il appartenait au caboteur arrivé hier... Le *Sainte-Marie*... Il paraît que non... Il y a bien[58] un chien à bord, mais c'est un terre-neuve, tandis que je défie qui que ce soit[59] de dire de quelle race est cette affreuse bête... » 30

---

[51] **une bonne pâte** homme d'un bon caractère
[52] **d'avoir... la Légion d'honneur** *c.-à-d., d'être membre de la Légion d'honneur. (La Légion d'honneur est un ordre national français fondé en 1802 par Napoléon I pour récompenser les services militaires et civils.)*
[53] **il s'en tirera** *c.-à-d., il guérira*
[54] **vous voyez ça?** vous imaginez ça?
[55] **l'imitation d'absinthe** *c.-à-d., le pernod*
[56] **partie** *c.-à-d., partie de cartes*
[57] **d'où il sort** d'où il vient
[58] **Il y a bien** C'est vrai qu'il y a
[59] **qui que ce soit** n'importe qui

Tout en parlant, il saisit une carafe d'eau, en versa dans le verre de Maigret.

« Il y a longtemps que la fille de salle est ici? questionna le commissaire à mi-voix.[60]

— Des années...

— Elle n'est pas sortie, hier au soir?

— Elle n'a pas bougé... Elle attendait que nous partions pour se coucher... Le Pommeret et moi, nous évoquions de vieux souvenirs, des souvenirs du bon temps, quand nous étions assez beaux pour nous offrir des femmes sans argent... Pas vrai, Le Pommeret?... Il ne dit rien!... Lorsque vous le connaîtrez mieux, vous comprendrez que, du moment qu'il est question de femmes, il soit de taille à[61] passer la nuit... Savez-vous comment nous appelons la maison qu'il habite en face de la halle aux poissons?... La *maison des turpitudes*... Hum!...

— « A votre santé, commissaire », fit,[62] non sans une certaine gêne, celui dont on parlait.

Maigret remarqua au même instant que le docteur Michoux, qui avait à peine desserré les dents, se penchait pour regarder son verre en transparence.[63] Son front était plissé. Son visage, naturellement décoloré, avait une expression saisissante d'inquiétude.

« Un instant!... » lança-t-il soudain, après avoir longtemps hésité.

Il approcha le verre de ses narines, y trempa un doigt qu'il frôla du bout de la langue. Servières éclata d'un gros rire.

« Bon!... Le voilà qui se laisse terroriser par l'histoire Mostaguen...

— Eh bien?... questionna Maigret.

— Je crois qu'il vaut mieux[64] ne pas boire... Emma... Va dire au pharmacien d'à-côté[65] d'accourir... Même s'il est à table... »

Cela jeta un froid. La salle parut plus vide, plus morne

---

[60] **à mi-voix** à voix basse
[61] **de taille à** capable de
[62] **fit** dit
[63] **regarder... en transparence** c.-à-d., *regarder à travers son verre*
[64] **qu'il vaut mieux** qu'il est préférable
[65] **d'à-côté** voisin

encore. Le Pommeret tiraillа ses moustaches avec nervosité. Le journaliste lui-même s'agita sur sa chaise.

« Qu'est-ce que tu crois?... »

Le docteur était sombre. Il fixait toujours son verre. Il se leva et prit lui-même dans le placard la bouteille de Pernod, la mania dans la lumière et Maigret distingua deux ou trois petits grains blancs qui flottaient sur le liquide.

La fille de salle rentrait, suivie du pharmacien qui avait la bouche pleine.

« Ecoutez, Kervidon... Il faut immédiatement nous analyser le contenu de cette bouteille et des verres...

— Aujourd'hui?...

— A l'instant!...⁶⁶

— Quelle réaction dois-je essayer?... Qu'est-ce que vous pensez?... »

Jamais Maigret n'avait vu poindre aussi vite l'ombre pâle de la peur. Quelques instants avaient suffi. Toute chaleur avait disparu des regards et la couperose semblait artificielle sur les joues de Le Pommeret.

La fille de salle s'était accoudée à la caisse et mouillait la mine d'un crayon pour aligner des chiffres dans un carnet recouvert de toile cirée noire.

« Tu es fou!... » essaya de lancer Servières.

Cela sonna faux. Le pharmacien avait la bouteille dans une main, un verre dans l'autre.

« Strychnine... », souffla le docteur.

Et il poussa l'autre dehors, revint, tête basse, le teint jaunâtre.

« Qu'est-ce qui vous fait penser...? commença Maigret.

— Je ne sais pas... Un hasard... J'ai vu un grain de poudre blanche dans mon verre... L'odeur m'a paru bizarre...

— Auto-suggestion collective!... affirma le journaliste. Que je raconte⁶⁷ ça demain dans mon canard et c'est la ruine de tous les bistrots du Finistère...⁶⁸

---

⁶⁶ **A l'instant** Immédiatement!
⁶⁷ **Que je raconte** Si je raconte
⁶⁸ **Finistère** *département de la Bretagne, à l'extrémité ouest de la France. (Le nom provient du latin* finis terrae.)

— Vous buvez toujours du Pernod?...

— Tous les soirs avant le dîner... Emma est tellement habituée[69] qu'elle l'apporte dès qu'elle constate que notre demi est vide... Nous avons nos petites habitudes... Le soir, c'est du calvados... »

Maigret alla se camper devant l'armoire aux liqueurs, avisa une bouteille de calvados.

« Pas celui-là!... Le flacon à grosse panse... »

Il le prit, le mania devant la lumière, aperçut quelques grains de poudre blanche. Mais il ne dit rien. Ce n'était pas nécessaire. 10 Les autres avaient compris.

L'inspecteur Leroy entrait, annonçait d'une voix indifférente :

« La gendarmerie n'a rien remarqué de suspect. Pas de rôdeurs dans le pays...[70] On ne comprend pas... »

Il s'étonna du silence qui régnait, de l'angoisse compacte qui 15 prenait à la gorge. De la fumée de tabac s'étirait autour des lampes électriques. Le billard montrait son drap verdâtre comme un gazon pelé. Il y avait des bouts de cigare par terre,[71] ainsi que quelques crachats, dans la sciure.

« ... Sept et je retiens un... »[72] épelait Emma en mouillant 20 la pointe de son crayon...

Et, levant la tête, elle criait à la cantonade :[73]

« Je viens, madame!... »

Maigret bourrait sa pipe. Le docteur Michoux fixait obstinément le sol et son nez paraissait plus de travers qu'auparavant. 25 Les souliers de Le Pommeret étaient luisants comme s'ils n'eussent jamais servi à marcher. Jean Servières haussait de temps en temps les épaules en discutant avec lui-même.

Tous les regards se tournèrent vers le pharmacien quand il revint avec la bouteille et un verre vide. 30

Il avait couru. Il était à court de souffle.[74] A la porte, il donna un coup de pied dans le vide pour chasser quelque chose, grommela :

[69] **habituée** c.-à-d., *habituée à ce que nous voulons*
[70] **le pays** *la région*
[71] **par terre** *sur le plancher*
[72] **« Sept et je retiens un »** *Ici Emma totalise une colonne de chiffres.*
[73] **à la cantonade** c.-à-d., *à quelqu'un dans une autre pièce*
[74] **à court de souffle** *essoufflé*

« Sale chien !... »

Et, à peine dans le café :

« C'est une plaisanterie, n'est-ce pas ?... Personne n'a bu ?...

— Eh bien ?...

— De la strychnine, oui !... On a dû la mettre dans la ⁵
bouteille il y a une demi-heure à peine... »

Il regarda avec effroi les verres encore pleins, les cinq
hommes silencieux.

« Qu'est-ce que cela veut dire ?... C'est inouï !... J'ai bien
le droit de savoir !... Cette nuit, un homme qu'on tue à côté ₁₀
de chez moi... Et aujourd'hui... »

Maigret lui prit la bouteille des mains. Emma revenait,
indifférente, montrait au-dessus de la caisse son long visage aux
yeux cernés,[75] aux lèvres minces, ses cheveux mal peignés
où le bonnet breton glissait toujours vers la gauche bien qu'elle ₁₅
le remît en place à chaque instant.

Le Pommeret allait et venait à grands pas en contemplant
les reflets de[76] ses chaussures. Jean Servières, immobile, fixait
les verres et éclatait soudain, d'une voix qu'assourdissait un
sanglot d'effroi : ₂₀

« Tonnerre de Dieu !... »

Le docteur rentrait les épaules.

🙰 Exercices

I Reprenez les phrases suivantes, en employant l'expression
il y a... que ou *il y avait... que.*

EX Tout le monde dort depuis longtemps. > Il y a longtemps
que tout le monde dort.
Tout le monde dormait depuis longtemps. > Il y avait longtemps que tout le monde dormait.

1 L'ami du journaliste a pris sa retraite depuis un an.
2 Voilà une demi-heure que le docteur est parti.
3 Voilà des années que Servières a entendu parler de Maigret.

---

⁷⁵ **cernés** c.-à-d., *entourés d'un cercle bleuâtre*
⁷⁶ **de** c.-à-d., *sur*

4 La fille de salle était ici depuis des années.
5 Elle était accoudée à la caisse depuis quelques minutes.
6 La maison était inhabitée depuis longtemps.

II Répondez négativement aux questions suivantes, en vous servant de l'expression *venir de*.

EX Y a-t-il longtemps que votre ami est sorti? > Non, mon ami vient de sortir.
Y avait-il longtemps que votre ami était sorti? > Non, mon ami venait de sortir.

1 Y a-t-il longtemps que l'horloge a sonné?
2 Est-ce qu'il y a longtemps que le caboteur est venu se mettre à l'abri?
3 Y a-t-il longtemps que l'ivrogne a allumé son cigare?
4 Est-ce qu'il y avait longtemps que le chien le reniflait?
5 Y avait-il longtemps que Maigret était arrivé à Concarneau?
6 Est-ce qu'il y avait longtemps que le docteur regardait son verre?

III Remplacez les mots en italiques dans les phrases suivantes par l'expression *il s'agit de* ou *il s'agissait de*.

EX *On a l'intention de* vendre la maison. > *Il s'agit de* vendre la maison.
On avait l'intention de vendre la maison. > *Il s'agissait de* vendre la maison.

1 *On doit* établir un résumé des événements.
2 *Il faut* connaître les clients du café.
3 Pour le journaliste, *il était question d*'un fou.
4 *On a l'intention de* se renseigner à la mairie.
5 *On voulait* retrouver un chien jaune.
6 Pour le docteur, *il est question de* poison.

IV Répondez aux questions suivantes, en employant l'expression entre parenthèses.

EX Les barques sont à quelle distance du port? (100 mètres) > Les barques sont à 100 mètres du port.

1 L'homme est à quelle distance du bec de gaz? (8 mètres)
2 Le corps est à quelle distance de la mairie? (2 pas)
3 Le douanier est à quelle distance du café? (moins de 100 mètres)
4 Les policiers étaient à quelle distance du groupe? (5 mètres)
5 Le chien était à quelle distance de la caisse? (1 mètre)
6 La pharmacie était à quelle distance du café? (plus de 10 mètres)

V Dans les phrases suivantes, substituez *personne* pour *quelqu'un*.

EX Est-ce que *quelqu'un* a bu? > Non, *personne* n'a bu.
Est-ce que vous avez vu *quelqu'un*? > Non, je n'ai vu *personne*.

1 Est-ce que quelqu'un a parlé à l'ivrogne?
2 Est-ce que quelqu'un connaissait le chien jaune?
3 Est-ce que quelqu'un a vu l'assassin?
4 Est-ce qu'on a entendu parler de quelqu'un?
5 Est-ce qu'Emma est sortie avec quelqu'un hier?
6 Est-ce que Leroy a bu avec quelqu'un?

VI Expliquez en français ce que veulent dire les mots suivants :
un douanier, un pernod, la mairie, une fille de salle, une pharmacie, un képi

VII Employez les expressions en italiques dans des phrases originales.

1 J'ai rattrapé mon chapeau *à temps*.
2 Nous nous sommes promenés *le long du* quai.
3 Est-ce que vous êtes souvent *à court d*'argent?
4 Le pharmacien voulait *se débarrasser du* chien.
5 Il *a failli* tomber.
6 Les amis *se précipitent* vers le blessé.

∾ Questions

1 Par quels moyens est-ce que Simenon établit une atmosphère de mystère tout au début de ce roman?

2 Que veut dire le mot « gouffre » ? Précisez l'image évoquée dans la phrase « le vent s'engouffre dans les rues ».

3 Vers quelle heure est-ce que l'ivrogne est sorti de l'hôtel de l'Amiral ?

4 Expliquez les raisons pour lesquelles le douanier a ri en regardant l'ivrogne.

5 Quand est-ce que le douanier a eu la sensation que quelque chose s'était passé ?

6 Que voit le douanier quand il s'avance vers le corps ?

7 Où court-il alors ?

8 Quelle était l'identité du blessé ?

9 Pourquoi la police veut-elle entrer dans la grosse maison ?

10 Qu'est-ce qu'ils ont trouvé sur les dalles du corridor ? Qu'est-ce que cela prouve ?

11 Qui sont les trois amis du blessé ? (Parlez de leur profession, leur aspect physique, etc.)

12 Quelle est l'hypothèse du journaliste sur l'identité du criminel ? Expliquez ses raisonnements.

13 Qu'est-ce qu'on a trouvé dans la bouteille de calvados ?

14 Quand est-ce qu'on a dû mettre le poison dans la bouteille ?

15 Résumez les principaux événements du premier chapitre.

Le Docteur en pantoufles

L'inspecteur Leroy, qui avait vingt-cinq ans, ressemblait davantage à ce que l'on appelle un jeune homme bien élevé qu'à un inspecteur de police.

Il sortait de l'école.[1] C'était sa première affaire et depuis quelques instants il observait Maigret d'un air désolé, essayait 5 d'attirer discrètement son attention. Il finit par lui souffler en rougissant :

« Excusez-moi, commissaire... Mais... les empreintes... »

Il dut penser que son chef était de la vieille école et ignorait

[1] **Il sortait de l'école** c.-à-d., *Il venait de terminer ses études.*

la valeur des investigations scientifiques car Maigret, tout en tirant une bouffée de sa pipe, laissa tomber :[2]

« Si vous voulez... »

On ne vit plus l'inspecteur Leroy, qui porta avec précaution la bouteille et les verres dans sa chambre et passa la soirée à 5 confectionner un emballage modèle, dont il avait le schéma en poche, étudié pour faire voyager[3] les objets sans effacer les empreintes.

Maigret s'était assis dans un coin du café. Le patron, en blouse blanche et bonnet de cuisinier, regardait sa maison du 10 même œil[4] que si elle eût été dévastée par un cyclone.

Le pharmacien avait parlé. On entendait des gens chuchoter dehors. Jean Servières, le premier, mit son chapeau sur sa tête.

« Ce n'est pas tout ça![5] Je suis marié, moi, et Mme Servières m'attend!... A tout à l'heure,[6] commissaire... » 15

Le Pommeret interrompit sa promenade.

« Attends-moi! Je vais dîner aussi... Tu restes, Michoux?... »

Le docteur ne répondit que par un haussement d'épaules. Le pharmacien tenait à[7] jouer un rôle de premier plan.[8] Maigret l'entendit qui disait au patron : 20

« ... et qu'il est nécessaire, bien entendu, d'analyser le contenu de toutes les bouteilles!... Puisqu'il y a ici quelqu'un de la police, il lui suffit de m'en donner l'ordre... »

Il y avait plus de soixante bouteilles d'apéritifs divers et de liqueurs dans le placard. 25

« Qu'est-ce que vous en pensez, commissaire?...

— C'est une idée... Oui, c'est peut-être prudent... »

Le pharmacien était petit, maigre et nerveux. Il s'agitait trois fois plus qu'il n'était nécessaire.[9] On dut lui chercher un panier à bouteilles. Puis il téléphona à un café de la vieille ville 30 afin qu'on aille dire à son commis qu'il avait besoin de lui.

---

[2] **laissa tomber** répondit négligemment
[3] **étudié pour faire voyager** spécialement fait pour envoyer
[4] **du même œil** avec les mêmes sentiments
[5] **Ce n'est pas tout ça !** c.-à-d., *Tout cela est fort bien (mais il faut que je parte) !*
[6] **A tout à l'heure** A bientôt
[7] **tenait à** désirait
[8] **de premier plan** très important
[9] **Il s'agitait... qu'il n'était nécessaire** ici *ne* est un mot explétif qu'on ne traduit pas; *il est utilisé après les comparaisons d'inégalité avec le verbe de la seconde proposition, quand la proposition principale est affirmative.*

Tête nue,[10] il fit cinq ou six fois le chemin de l'hôtel de l'Amiral à son officine, affairé, trouvant le temps de lancer quelques mots aux curieux groupés sur le trottoir.

« Qu'est-ce que je vais devenir, moi, si on m'emporte toute la boisson?[11] gémissait le patron. Et personne ne pense à manger!... Vous ne dînez pas, commissaire?... Et vous, docteur?... Vous rentrez chez vous?...

— Non... Ma mère est à Paris... La servante est en congé...

— Vous couchez ici, alors?... »

∞

Il pleuvait. Les rues étaient pleines d'une boue noire. Le vent agitait les persiennes du premier étage.[12] Maigret avait dîné dans la salle à manger, non loin de la table où le docteur s'était installé, funèbre.

A travers les petits carreaux verts, on devinait dehors des têtes curieuses qui, parfois, se collaient aux vitres. La fille de salle fut une demi-heure absente, le temps de dîner à son tour. Puis elle reprit sa place habituelle à droite de la caisse, un coude sur celle-ci, une serviette à la main.

« Vous me donnerez une bouteille de bière », dit Maigret.

Il sentit très bien que le docteur l'observait tandis qu'il buvait, puis après, comme pour deviner les symptômes de l'empoisonnement.

Jean Servières ne revint pas, ainsi qu'il l'avait annoncé. Le Pommeret non plus. Si bien que[13] le café resta désert, car les gens préféraient ne pas entrer et surtout ne pas boire. Dehors, on affirmait que toutes les bouteilles étaient empoisonnées.

« De quoi[14] tuer la ville entière!... »

Le maire, de sa villa des Sables Blancs, téléphona pour savoir au juste[15] ce qui se passait. Puis ce fut le morne silence. Le docteur Michoux, dans un coin, feuilletait des journaux sans les lire. La fille de salle ne bougeait pas. Maigret fumait, placide, et de temps

---

[10] **Tête nue** Nu-tête, c.-à-d., sans chapeau
[11] **toute la boisson** c.-à-d., tout ce qu'il y a à boire
[12] **premier étage** en Amérique, « second floor » (« ground floor » ou « first floor » = rez-de-chaussée)
[13] **Si bien que** Par conséquent
[14] **De quoi** Assez pour
[15] **au juste** exactement

en temps le patron venait s'assurer d'un coup d'œil qu'il n'y avait pas de nouveau drame.

On entendait l'horloge de la vieille ville sonner les heures et les demies. Les piétinements et les conciliabules cessèrent sur le trottoir, et il n'y eut plus que la plainte monotone du vent, la 5 pluie qui battait les vitres.

« Vous dormez ici ? » demanda Maigret au docteur.

Le silence était tel que le seul fait de parler à haute voix jeta un trouble.[16]

« Oui... Cela m'arrive quelquefois... Je vis avec ma mère 10 à trois kilomètres de la ville... Une villa énorme... Ma mère est allée passer quelques jours à Paris et la domestique m'a demandé congé pour assister au mariage de son frère... »

Il se leva, hésita, dit assez vite :

« Bonsoir... » 15

Et il disparut dans l'escalier. On l'entendit qui enlevait ses chaussures, au premier,[17] juste au-dessus de la tête de Maigret. Il ne resta plus dans le café que la fille de salle et le commissaire.

« Viens ici ! » lui dit-il en se renversant sur sa chaise.

Et il ajouta, comme elle restait debout dans une attitude 20 compassée :

« Assieds-toi !... Quel âge as-tu ?...

— Vingt-quatre ans... »

Il y avait en elle une humilité exagérée. Ses yeux battus,[18] sa façon de se glisser sans bruit, sans rien heurter, de frémir 25 avec inquiétude au moindre mot, cadraient[19] assez bien avec l'idée qu'on se fait du souillon habitué à toutes les duretés. Et pourtant on sentait sous ces apparences comme[20] des pointes d'orgueil qu'elle s'efforçait de ne pas laisser percer.

Elle était anémique. Sa poitrine plate n'était pas faite pour 30 éveiller la sensualité. Néanmoins elle attirait, par ce qu'il y avait de trouble en elle, de découragé, de maladif.

« Que faisais-tu avant de travailler ici ?...

— Je suis orpheline. Mon père et mon frère ont péri en mer,

[16] **jeta un trouble** provoqua un sentiment de malaise
[17] **au premier** c.-à-d., *au premier étage*
[18] **yeux battus** yeux cernés
[19] **cadraient** s'accordaient
[20] **comme** quelque chose de semblable à

sur le dundee *Trois-Mages*... Ma mère est déjà morte depuis long-temps... J'ai été d'abord vendeuse à la papeterie, place de la Poste... »

Que cherchait son regard inquiet?

« Tu as un amant?... » 5

Elle détourna la tête sans rien dire et Maigret, les yeux rivés à son visage, fuma plus lentement, but une gorgée de bière.

« Il y a des clients qui doivent te faire la cour!... Ceux qui étaient tout à l'heure ici sont des habitués... Ils viennent chaque soir... Ils aiment les belles filles. Allons! Lequel d'entre eux?... » 10

Plus pâle, elle articula avec une moue de lassitude :

« Surtout le docteur...

— Tu es sa maîtresse? »

Elle le regarda avec des velléités de confiance.

« Il en a d'autres... Quelquefois moi, quand ça lui prend...[21] 15
Il couche ici... Il me dit de le rejoindre dans sa chambre... »

Rarement Maigret avait recueilli confession aussi plate.

« Il te donne quelque chose?...

— Oui... Pas toujours... Deux ou trois fois, quand c'est mon jour de sortie,[22] il m'a fait aller chez lui... Encore[23] avant- 20
hier... Il profite de ce que[24] sa mère est en voyage... Mais il a d'autres filles...

— Et M. Le Pommeret?...

— C'est la même chose... Sauf que je ne suis allée qu'une fois chez lui, il y a longtemps... Il y avait là une ouvrière de la 25
sardinerie et... et je n'ai pas voulu!... Ils en ont de nouvelles toutes les semaines...

— M. Servières aussi?...

— Ce n'est pas la même chose... Il est marié... Il paraît qu'il va faire la noce[25] à Brest... Ici, il se contente de plaisanter, de 30
me pincer au passage... »

Il pleuvait toujours. Très loin ululait la corne de brume d'un bateau qui devait chercher l'entrée du port.

« Et c'est toute l'année ainsi?...

[21] **quand ça lui prend** quand il le veut
[22] **jour de sortie** jour de congé
[23] **Encore** c.-à-d., *Par exemple*
[24] **de ce que** du fait que
[25] **il va faire la noce** il va se livrer à la débauche

— Pas toute l'année... L'hiver, ils sont seuls... Quelquefois ils boivent une bouteille avec un voyageur de commerce... Mais l'été il y a du monde... L'hôtel est plein... Le soir, ils sont toujours dix ou quinze à boire le champagne ou à faire la bombe dans les villas... Il y a des autos, des jolies femmes... Nous, on a[26] du travail... L'été, ce n'est pas moi qui sers, mais des garçons... Alors je suis en bas, à la plonge... »[27]

Que cherchait-elle donc autour d'elle? Elle était mal d'aplomb[28] sur le bord de sa chaise et elle semblait prête à se dresser d'une détente.

Une sonnerie grêle retentit. Elle regarda Maigret, puis le tableau électrique placé derrière la caisse.

« Vous permettez?... »

Elle monta. Le commissaire entendit des pas, un murmure confus de voix au premier, dans la chambre du docteur.

Le pharmacien entra, un peu ivre.

« C'est fait, commissaire! Quarante-huit bouteilles analysées! Et sérieusement, je vous jure! Aucune trace de poison ailleurs que dans le pernod et le calvados... Le patron n'aura qu'à faire reprendre son matériel... Dites donc, votre avis, entre nous? Des anarchistes, pas vrai?... »

Emma revenait, gagnait la rue pour poser les volets, attendait de pouvoir fermer la porte.

« Eh bien?... » fit Maigret quand ils furent à nouveau seuls.

Elle détourna la tête sans répondre, avec une pudeur inattendue, et le commissaire eut l'impression que s'il la poussait un peu elle fondrait en larmes.

« Bonne nuit, mon petit!... »[29] lui dit-il.

∽

Quand le commissaire descendit, il se croyait le premier levé, tant le ciel était obscurci par les nuages. De sa fenêtre, il avait aperçu le port désert, où une grue solitaire déchargeait un

---

[26] **on a** nous avons
[27] **à la plonge** c.-à-d., à faire la plonge (à laver la vaisselle)
[28] **Elle était mal d'aplomb** Elle ne se tenait pas droite
[29] **mon petit** terme de familiarité qui peut s'appliquer aux femmes aussi bien qu'aux hommes

bateau de sable. Dans les rues, quelques parapluies, des cirés fuyant au ras des maisons.[30]

Au milieu de l'escalier, il croisa un voyageur de commerce qui arrivait et dont un homme de peine portait la malle.

Emma balayait la salle du bas. Sur une table de marbre, il y 5 avait une tasse où stagnait un fond de café.[31]

« C'est mon inspecteur? questionna Maigret.

— Il y a longtemps qu'il m'a demandé le chemin de la gare pour y porter un gros paquet.

— Le docteur? 10

— Je lui ai monté son petit déjeuner... Il est malade... Il ne veut pas sortir. »

Et le balai continuait à soulever la poussière mêlée de sciure de bois.

« Qu'est-ce que vous prenez? 15

— Du café noir... »

Elle dut passer tout près de lui pour gagner la cuisine. A ce moment, il lui prit les épaules dans ses grosses pattes, la regarda dans les yeux, d'une façon à la fois bourrue et cordiale.

« Dis donc, Emma... » 20

Elle ne tenta qu'un mouvement timide pour se dégager, resta immobile, tremblante, à se faire aussi petite que possible.

« Entre nous, là, qu'est-ce que tu sais?... Tais-toi!... Tu vas mentir!... Tu es une pauvre petite fille et je n'ai pas envie de te chercher des misères...[32] Regarde-moi!... La bouteille... 25 Hein?... Parle, maintenant...

— Je vous jure...

— Pas la peine[33] de jurer...

— Ce n'est pas moi!...

— Je le sais bien, parbleu, que ce n'est pas toi! Mais qui 30 est-ce?... »

Les paupières se gonflèrent, tout d'un coup. Des larmes jaillirent. La lèvre inférieure se souleva spasmodiquement et la fille de salle, ainsi, était tellement émouvante, que Maigret cessa de la tenir. 35

[30] **au ras des maisons** c.-à-d., *tout près des murs*
[31] **un fond de café** un reste de café
[32] **chercher des misères** causer des ennuis
[33] **Pas la peine** [Cela ne vaut] pas la peine

« Le docteur... cette nuit?...

— Non!... Ce n'était pas pour ce que vous croyez...

— Qu'est-ce qu'il voulait?

— Il m'a demandé la même chose que vous... Il m'a menacée ... Il voulait que je lui dise qui a touché à la bouteille... Il m'a [5] presque battue... Et je ne sais pas!... Sur la tête de ma mère, je jure que...

— Apporte-moi mon café... »

Il était huit heures du matin. Maigret alla acheter du tabac, fit un tour[34] dans la ville. Quand il revint, vers dix heures, le [10] docteur était dans le café, en pantoufles, un foulard passé autour du cou en guise de[35] faux-col. Ses traits étaient tirés, ses cheveux roux mal peignés.

« Vous n'avez pas l'air d'être dans votre assiette...[36]

— Je suis malade... Je devais m'y attendre... Ce sont les [15] reins... Dès qu'il m'arrive la moindre chose, une contrariété, une émotion, c'est ainsi que ça se traduit... Je n'ai pas fermé l'œil de la nuit... »[37]

Il ne quittait pas la porte du regard.[38]

« Vous ne rentrez pas chez vous? [20]

— Il n'y a personne... Je suis mieux soigné ici... »

Il avait fait chercher tous les journaux du matin, qui étaient sur sa table.

« Vous n'avez pas vu mes amis?... Servières?... Le Pom-meret?... C'est drôle qu'ils ne soient pas venus aux nouvelles.[39] [25]

— Bah! sans doute dorment-ils toujours! soupira Maigret. Au fait[40] je n'ai pas aperçu cet affreux chien jaune... Emma!... Avez-vous revu le chien, vous?... Non?... Voici Leroy qui l'a peut-être rencontré dans la rue... Quoi de neuf, Leroy?...

— Les flacons et les verres sont expédiés au laboratoire... [30] Je suis passé[41] à la gendarmerie et à la mairie... Vous parliez du

---

[34] **fit un tour** se promena
[35] **en guise de** à la place d'un
[36] **dans votre assiette** en bonne santé
[37] **de la nuit** pendant toute la nuit
[38] **Il ne quittait... regard** Il ne cessait pas de regarder la porte
[39] **venus aux nouvelles** venus demander des nouvelles
[40] **Au fait** A propos
[41] **passé** entré en passant

chien, je crois?... Il paraît qu'un paysan l'a vu ce matin dans le jardin de M. Michoux...

— Dans mon jardin?... »

Le docteur s'était levé. Ses mains pâles tremblaient.

« Qu'est-ce qu'il faisait dans mon jardin?...   5

— A ce qu'on[42] m'a dit, il était couché sur le seuil de la villa et, quand le paysan s'est approché, il a grogné de telle façon que l'homme a préféré prendre le large... »[43]

Maigret observait les visages du coin de l'œil.

« Dites donc, docteur, si nous allions[44] ensemble jusque 10 chez vous?... »

Un sourire contraint :

« Dans cette pluie?... Avec ma crise?... Cela me vaudrait[45] au moins huit jours de lit... Qu'importe ce chien !... Un vulgaire[46] chien errant, sans doute... »   15

Maigret mit son chapeau, son manteau.

« Où allez-vous?...

— Je ne sais pas... Respirer l'air... Vous m'accompagnez, Leroy? »

Quand ils furent dehors, ils purent voir encore la longue 20 tête du docteur que les vitraux déformaient, rendaient plus longue tout en lui donnant une teinte verdâtre.

« Où allons-nous? » questionna l'inspecteur.

Maigret haussa les épaules, erra un quart d'heure durant[47] autour des bassins, en homme[48] qui s'intéresse aux bateaux. 25 Arrivé près de la jetée, il tourna à droite, prit un chemin qu'un écriteau désignait comme la route des Sables Blancs.

« Si on avait analysé les cendres de cigarette trouvées dans le corridor de la maison vide... commença Leroy après une toussotement.   30

— Que pensez-vous d'Emma? l'interrompit Maigret.

— Je... je pense... La difficulté, à mon avis, surtout dans un

---

[42] **A ce qu'on** D'après ce qu'on
[43] **prendre le large** s'éloigner
[44] **si nous allions** « what about going... »; « suppose we go... » Si + l'imparfait exprime souvent un vœu.
[45] **Cela me vaudrait** Cela me coûterait
[46] **vulgaire** ordinaire
[47] **un quart d'heure durant** pendant tout un quart d'heure
[48] **en homme** comme un homme

pays comme celui-ci, où tout le monde se connaît, doit être de se procurer une telle quantité de strychnine...

— Je ne vous demande pas cela... Est-ce que, par exemple, vous deviendriez volontiers son amant?... »

Le pauvre inspecteur ne trouva rien à répondre. Et Maigret l'obligea à s'arrêter et à ouvrir son manteau pour lui permettre d'allumer sa pipe à l'abri du vent.

La plage des Sables Blancs, bordée de quelques villas, et, entre autres, d'une somptueuse demeure méritant le nom de château et appartenant au maire de la ville, s'étire entre deux pointes rocheuses, à trois kilomètres de Concarneau.

Maigret et son compagnon pataugèrent dans le sable couvert de goémon, regardèrent à peine les maisons vides, aux volets clos.

Au-delà de la plage, le terrain s'élève. Des roches à pic[49] couronnées de sapins plongent dans la mer.

Un grand panneau : « Lotissement des Sables Blancs. » Un plan, avec, en teintes différentes, les parcelles déjà vendues et les parcelles disponibles. Un kiosque en bois : « Bureau de vente des terrains. »

Enfin la mention : « En cas d'absence, s'adresser[50] à M. Ernest Michoux, administrateur. »

L'été, tout cela doit être riant, repeint à neuf. Dans la pluie et la boue, dans le tintamarre du ressac, c'était plutôt sinistre.

Au centre, une grande villa neuve, en pierres grises, avec terrasse, pièce d'eau[51] et parterres non encore fleuris.

Plus loin, les ébauches d'autres villas : quelques pans de mur surgissant du sol et dessinant déjà les pièces...

Il manquait des vitres au kiosque. Des tas de sable attendaient d'être étalés sur la nouvelle route qu'un rouleau compresseur barrait à moitié. Au sommet de la falaise, un hôtel, ou plutôt un futur hôtel, inachevé, aux murs d'un blanc cru, aux fenêtres closes à l'aide de planches et de carton.

[49] **à pic** abruptes
[50] **s'adresser** adressez-vous. *L'infinitif s'emploie souvent comme impératif sur les panneaux indicateurs.*
[51] **pièce d'eau** *grand bassin dans un jardin*

Maigret s'avança tranquillement, poussa la barrière donnant accès à la villa du docteur Michoux. Quand il fut sur le seuil et qu'il[52] tendit la main vers le bouton de la porte, l'inspecteur Leroy murmura :

« Nous n'avons pas de mandat!... Ne croyez-vous pas 5 que?... »

Une fois de plus, son chef haussa les épaules. Dans les allées, on voyait les traces profondes laissées par les pattes du chien jaune. Il y avait d'autres empreintes : celles de pieds énormes, chaussées de souliers à clous. Du quarante-six[53] pour le moins! 10

Le bouton tourna. La porte s'ouvrit comme par enchantement et l'on put relever sur le tapis les mêmes traces boueuses : celles du chien et des fameux[54] souliers.

La villa, d'une architecture compliquée, était meublée d'une façon prétentieuse. Ce n'était partout que recoins, avec 15 des divans, des bibliothèques basses, des lits clos bretons[55] transformés en vitrines, des petites tables turques ou chinoises. Beaucoup de tapis, de tentures!

La volonté manifeste de réaliser, avec de vieilles choses, un ensemble rustico-moderne. 20

Quelques paysages bretons. Des nus signés, dédicacés : « *Au bon ami Michoux* »... Voire :[56] « *A l'ami des artistes* »...

Le commissaire regardait ce bric-à-brac d'un air grognon, tandis que l'inspecteur Leroy n'était pas sans se laisser impressionner[57] par cette fausse distinction. 25

Et Maigret ouvrait les portes, jetait un coup d'œil dans les chambres. Certaines n'étaient pas meublées. Le plâtre des murs était à peine sec.

Il finit par pousser une porte du pied et il eut un murmure de satisfaction en apercevant la cuisine. Sur la table de bois blanc, 30 il y avait deux bouteilles à bordeaux[58] vides.

Une dizaine de boîtes de conserve avaient été ouvertes grossièrement, avec un couteau quelconque. La table était sale,

---

[52] **qu'il** quand il
[53] **Du quarante-six** *en Amérique,* « size 12 »
[54] **fameux** *c.-à-d., ceux dont il a déjà été question*
[55] **lit clos breton** *lit fermé comme une armoire*
[56] **Voire** Et même
[57] **Leroy n'était pas... impressionner** Leroy ne pouvait s'empêcher d'être impressionné.
[58] **bordeaux** *c.-à-d., vin de Bordeaux*

graisseuse. On avait mangé, à même les boîtes,[59] des harengs au vin blanc, du cassoulet froid, des cèpes et des abricots.

Le sol était maculé. Il y traînait des restes de viande. Une bouteille de fine champagne[60] était cassée et l'odeur d'alcool se mêlait à celle des aliments.

Maigret regarda son compagnon avec un drôle de sourire.[61]

« Vous croyez, Leroy, que c'est le docteur qui a fait ce repas de cochon?... »

Et comme l'autre, sidéré, ne répondait pas :

« Sa maman non plus, je l'espère!... Ni même la domestique! Tenez!... Vous qui aimez les empreintes... Ce sont plutôt des croûtes de boue, qui dessinent une semelle... Pointure quarante-cinq ou quarante-six... Et les traces du chien!... »

Il bourra une nouvelle pipe, prit les allumettes au soufre sur une étagère.

« Relevez-moi tout ce qu'il y a à relever ici dedans!... Ce n'est pas la besogne qui manque... A tout à l'heure!... »

Il s'en alla les deux mains dans les poches, le col du pardessus relevé, le long de la plage des Sables Blancs.

Quand il pénétra à l'hôtel de l'Amiral, la première personne qu'il aperçut fut, dans son coin, le docteur Michoux, toujours en pantoufles, non rasé, son foulard autour du cou.

Le Pommeret, aussi correct[62] que la veille, était assis à côté de lui et les deux hommes laissèrent avancer le commissaire sans mot dire.[63]

Ce fut le docteur qui articula enfin d'une voix mal timbrée :[64]

« Vous savez ce qu'on m'annonce?... Servières a disparu... Sa femme est à moitié folle... Il nous a quittés hier au soir... Depuis lors, on ne l'a pas revu... »

Maigret eut un haut-le-corps, non pas à cause de ce qu'on lui disait, mais parce qu'il venait d'apercevoir le chien jaune, couché aux pieds d'Emma.

---

[59] **à même les boîtes** dans les boîtes mêmes
[60] **fine champagne** c.-à-d., *cognac*
[61] **un drôle de sourire** un sourire bizarre
[62] **correct** bien habillé
[63] **sans mot dire** sans rien dire
[64] **mal timbrée** faible

∾ Exercices

I Refaites les phrases suivantes, en employant le présent du subjonctif.

EX Dis-moi qui a touché à la bouteille. > Je voudrais que tu me *dises* qui a touché à la bouteille.

1 Dis-moi qui s'intéresse aux empreintes.
2 Attends-moi pour aller dîner.
3 Allez dire au commis que j'ai besoin de lui.
4 Emma, laisse ton travail et viens ici.
5 Expliquez-moi ce qui s'est passé.
6 Suis-moi jusqu'à la maison du docteur.

II Transformez les phrases suivantes, en employant *demander à* [*quelqu'un*] *de* [*faire quelque chose*].

EX Il veut qu'Emma vienne. > Il a demandé à Emma de venir.
Il veut qu'elle vienne. > Il lui a demandé de venir.

1 Il veut qu'Emma dise son âge.
2 Le docteur veut qu'elle monte.
3 On veut que le pharmacien analyse toutes les bouteilles.
4 Maigret ne veut pas qu'elle mente.
5 Maigret veut que Leroy l'accompagne.
6 Le commissaire veut qu'il examine les empreintes.

III Dans les phrases suivantes, remplacez *préférer* par *aimer mieux*.

EX Les gens *préféraient* ne pas entrer dans le café. > Les gens *aimaient mieux* ne pas entrer dans le café.

1 Servières préfère rejoindre sa femme.
2 Le patron préférait garder toutes les bouteilles.
3 Maigret préfère boire de la bière.
4 Le docteur préférait ne pas aller chez lui.
5 Leroy préférerait avoir un mandat.
6 Maigret préfère une villa moins prétentieuse.

IV Transformez les phrases suivantes, en vous servant de l'expression *avoir l'air* (*de*).

EX Le docteur ne paraît pas être dans son assiette. > Le docteur n'a pas l'air d'être dans son assiette.

1 Emma avait une apparence maladive.
2 Emma semblait savoir quelque chose.
3 Le port semblait désert.
4 Maigret paraissait s'intéresser aux bateaux.
5 Dans la pluie et la boue tout cela paraît sinistre.
6 La porte semble s'ouvrir par enchantement.

V Répétez les phrases suivantes, en ajoutant un pronom personnel disjonctif pour renforcer le sens.

EX Je suis marié. > *Moi*, je suis marié ET Je suis marié, *moi*.

1 Qu'est-ce que je vais devenir?
2 On a du travail.
3 Avez-vous revu le chien?
4 Il dit qu'il reste.
5 Elle ne sourit jamais.
6 Ils n'ont rien dit.

VI Formez des phrases originales, en employant les expressions en italiques dans les phrases suivantes. Variez autant que possible les temps du verbe et les pronoms.

1 Leroy *ressemblait à* un jeune homme bien élevé.
2 Vous *n'avez pas* l'air d'*être dans votre assiette*.
3 Qui, *à votre avis*, a fait ce repas de cochon?
4 Quels renseignements *manquent à* Maigret?
5 La maison était *pleine de* bric-à-brac.
6 Emma a un visage *quelconque*.
7 Sa femme est *à moitié* folle.
8 Elle semblait *prête à* se lever.

❧ *Questions*

Imaginez que vous êtes Leroy. Répondez aux questions suivantes.

1 Quel genre de travail faites-vous?
2 Y a-t-il longtemps que vous exercez ce métier?
3 Que pensez-vous des méthodes de votre chef?
4 Pourquoi avez-vous porté la bouteille et les verres dans votre chambre?
5 Pourquoi avez-vous hésité avant d'entrer dans la villa du docteur?
6 Quelle était votre impression de l'intérieur de cette villa?

Maintenant imaginez que vous êtes Maigret. Répondez aux questions suivantes.

1 Qu'est-ce que vous avez remarqué autour de vous pendant votre dîner?
2 Qu'est-ce que vous avez pu apprendre d'Emma?
3 Le lendemain matin, qu'avez-vous fait après avoir pris le café?
4 Quelle nouvelle Leroy vous a-t-il rapporté au sujet du chien jaune?
5 La villa du docteur a fait quelle impression sur vous?
6 Qu'est-ce que le docteur Michoux vous a révélé au moment de votre retour à l'hôtel?

«La peur règne à Concarneau»

   Le Pommeret éprouvait le besoin de confirmer, pour le plaisir de s'entendre parler :

   « Elle est venue chez moi tout à l'heure en me suppliant de faire des recherches... Servières, qui de son vrai nom s'appelle Goyard, est un vieux camarade... »

   Du chien jaune, le regard de Maigret passa à la porte qui s'ouvrait, au marchand de journaux qui entrait en coup de vent[1]

---

[1] **en coup de vent** à toute vitesse

et enfin à une manchette en caractères gras qu'on pouvait lire de loin :

« *La peur règne à Concarneau.* »

Des sous-titres disaient ensuite :

« *Un drame chaque jour.* » 5
« *Disparition de notre collaborateur Jean Servières.* »
« *Des taches de sang dans sa voiture.* »
« *A qui le tour?* »[2]

Maigret retint par la manche le gamin aux journaux.

« Tu en as vendu beaucoup? » 10
— Dix fois plus que les autres jours. Nous sommes trois à courir depuis la gare... »

Relâché, le gosse reprit sa course le long du quai en criant :

« *Le Phare de Brest...* Numéro sensationnel... »

Le commissaire n'avait pas eu le temps de commencer 15 l'article qu'Emma annonçait :[3]

« On vous demande au téléphone... »

Une voix furieuse, celle du maire :

« Allô, c'est vous, commissaire, qui avez inspiré cet article stupide?... Et je ne suis même pas au courant!... J'entends,[4] 20 n'est-ce pas? être informé le premier de ce qui se passe dans la ville dont je suis le maître!... Quelle est cette histoire d'auto?... Et cet homme aux grands pieds?... Depuis une demi-heure, j'ai reçu plus de vingt coups de téléphone de gens affolés qui me demandent si ces nouvelles sont exactes... Je vous répète que je 25 veux que, désormais... »

Maigret, sans broncher, raccrocha, rentra dans le café, s'assit et commença à lire. Michoux et Le Pommeret parcouraient des yeux un même[5] journal posé sur le marbre de la table.

« Notre excellent collaborateur Jean Servières a raconté ici 30 même[6] les événements dont Concarneau a été récemment le théâtre. C'était vendredi. Un honorable négociant de la ville, M.

---

[2] « A qui le tour? » *c.-à-d.*, « *Qui sera la prochaine victime?* »
[3] qu'Emma annonçait quand Emma annonça
[4] J'entends Je veux absolument
[5] un même le même
[6] ici même *c.-à-d., dans ce journal*

Mostaguen, sortait de l'hôtel de l'Amiral, s'arrêtait sur un seuil pour allumer un cigare et recevait dans le ventre une balle tirée à travers la boîte aux lettres[7] de la maison, une maison inhabitée.

« Samedi, le commissaire Maigret, récemment détaché de Paris et placé à la tête de la Brigade Mobile de Rennes, arrivait sur les lieux, ce qui n'empêchait pas un nouveau drame de se produire.

« Le soir, en effet, un coup de téléphone nous annonçait qu'au moment de prendre l'apéritif trois notables de la ville, MM.[8] Le Pommeret, Jean Servières et le docteur Michoux, à qui s'étaient joints les enquêteurs, s'apercevaient que le Pernod qui leur était servi contenait une forte dose de strychnine.

« Or, ce dimanche matin, l'auto de Jean Servières a été retrouvée près de la rivière Saint-Jacques sans son propriétaire qui, depuis samedi soir, n'a pas été vu.

« Le siège avant[9] est maculé de sang. Une glace est brisée et tout laisse supposer qu'il y a eu lutte.

« Trois jours : trois drames! On conçoit que la terreur commence à régner à Concarneau dont les habitants se demandent avec angoisse qui sera la nouvelle victime.

« Le trouble est particulièrement jeté dans la population par la mystérieuse présence d'un chien jaune que nul[10] ne connaît, qui semble n'avoir pas de maître et que l'on rencontre à chaque nouveau malheur.

« Ce chien n'a-t-il pas déjà conduit la police vers une piste sérieuse? Et ne recherche-t-on pas un individu qui n'a pas été identifié mais qui a laissé à divers endroits des traces curieuses, celles de pieds beaucoup plus grands que la moyenne?

« Un fou?... Un rôdeur?... Est-il l'auteur de tous ces méfaits?... A qui va-t-il s'attaquer ce soir?...

« Sans doute rencontrera-t-il à qui parler,[11] car les habitants effrayés prendront la précaution de s'armer et de tirer sur lui à la moindre alerte.

« En attendant, ce dimanche, la ville est comme morte et

---

[7] **boîte aux lettres** c.-à-d., *fente pratiquée dans la porte pour recevoir les lettres*
[8] **MM.** messieurs
[9] **siège avant** c.-à-d., *siège où s'assied le conducteur*
[10] **nul** personne
[11] **à qui parler** c.-à-d., *quelqu'un qui lui résistera*

l'atmosphère rappelle les villes du Nord quand, pendant la guerre, on annonçait un bombardement aérien. »

ᖇᖇ

Maigret regarda à travers les vitres. Il ne pleuvait plus, mais 5 les rues étaient pleines de boue noire et le vent continuait à souffler avec violence. Le ciel était d'un gris livide.

Des gens revenaient de la messe. Presque tous avaient *Le Phare de Brest* à la main. Et tous les visages se tournaient vers l'hôtel de l'Amiral tandis que maints passants pressaient le pas.[12] 10

Il y avait certes quelque chose de mort dans la ville. Mais n'en était-il pas ainsi[13] tous les dimanches matin? La sonnerie du téléphone résonna à nouveau. On entendit Emma qui répondait :

« Je ne sais pas, monsieur. Je ne suis pas au courant... Voulez-vous que j'appelle le commissaire?... Allô!... Allô!... On a 15 coupé...[14]

— Qu'est-ce que c'est? grogna Maigret.

— Un journal de Paris, je crois... On demande s'il y a de nouvelles victimes... On a retenu une chambre...

— Appelez-moi *Le Phare de Brest* à l'appareil. »[15] 20

En attendant, il marcha de long en large,[16] sans jeter un coup d'œil au docteur affalé sur sa chaise, ni à Le Pommeret qui contemplait ses doigts lourdement bagués.

« Allô... *Le Phare de Brest?*... Commissaire Maigret... Le directeur, s'il vous plaît!... Allô!... C'est lui?... Bon! Voulez- 25 vous me dire à quelle heure votre canard est sorti de presse ce matin?... Hein? ...Neuf heures et demie?... Et qui a rédigé l'article au sujet des drames de Concarneau?... Ah! non! pas d'histoires,[17] hein!... Vous dites?... Vous avez reçu cet article sous enveloppe?... Pas de signature?... Et vous publiez ainsi 30 n'importe quelle information anonyme qui vous parvient?... Je vous salue!... »[18]

---

[12] **pressaient le pas** marchaient plus rapidement
[13] **n'en était-il pas ainsi** n'était-ce pas comme cela
[14] **On a coupé** c.-à-d., on a coupé la communication
[15] **l'appareil** c.-à-d., l'appareil téléphonique
[16] **de long en large** en tous sens
[17] **pas d'histoires** c.-à-d., ne me racontez pas d'histoires (répondez-moi sans détour)
[18] **Je vous salue !** Au revoir ! (*méprisant*)

Il voulut sortir par la porte qui s'ouvrait directement sur le quai et la trouva fermée.

« Qu'est-ce que cela signifie? demanda-t-il à Emma en la regardant dans les yeux.

— C'est le docteur... »   5

Il fixa Michoux, qui avait une tête plus oblique que jamais, haussa les épaules, sortit par l'autre porte, celle de l'hôtel. La plupart des magasins avaient leurs volets clos. Les gens, endimanchés, marchaient vite.

Au-delà du bassin, où des bateaux tiraient sur leur ancre, 10 Maigret trouva l'entrée de la rivière Saint-Jacques, tout[19] au bout de la ville, là où les maisons se raréfient pour faire place à des chantiers navals. On voyait des bateaux inachevés sur le quai. De vieilles barques pourrissaient dans la vase.

A l'endroit où un pont de pierre enjambe la rivière qui vient 15 se jeter dans le port, il y avait un groupe de curieux, entourant une petite auto.

Il fallait faire un détour pour y arriver, car les quais étaient barrés par des travaux. Maigret se rendit compte, aux regards qu'on lui lança, que tout le monde le connaissait déjà. Et, sur les 20 seuils des boutiques fermées, il vit des gens inquiets qui parlaient bas.

Il atteignit enfin la voiture abandonnée au bord de la route, ouvrit la portière d'un geste brusque, fit choir des éclats de verre et n'eut pas besoin de chercher pour relever des taches brunes sur 25 le drap du siège.

Autour de lui se pressaient surtout des gamins et des jeunes gens farauds.

« La maison de M. Servières?... »

Ils furent dix à l'y conduire. C'était à trois cents mètres, un 30 peu à l'écart,[20] une maison bourgeoise entourée d'un jardin. L'escorte s'arrêta à la grille tandis que Maigret sonnait, était introduit par une petite bonne au visage bouleversé.

« Mme Servières est ici? »

Elle ouvrait déjà la porte de la salle à manger.   35

[19] **tout** tout à fait
[20] **à l'écart** loin des autres maisons

36

« Dites, commissaire !... Croyez-vous qu'on l'ait tué ?... Je suis folle... Je... »

Une brave femme, d'une quarantaine d'années, aux allures de bonne ménagère, que confirmait la propreté de son intérieur.

« Vous n'avez pas revu votre mari depuis... ?   5

— Il est venu dîner hier au soir... J'ai remarqué qu'il était préoccupé, mais il n'a rien voulu me dire... Il avait laissé la voiture devant la porte, ce qui signifiait qu'il sortait le soir... Je savais que c'était pour faire sa partie de cartes au café de l'Amiral ... Je lui ai demandé s'il rentrerait tard... A dix heures, je me suis 10 couchée... Longtemps je suis restée éveillée... J'ai entendu sonner onze heures, puis onze heures et demie... Mais il lui arrivait souvent de rentrer très tard... J'ai dû m'endormir...[21] Je me suis réveillée au milieu de la nuit... J'ai été étonnée de ne pas le sentir à côté de moi... Alors, j'ai pensé que quelqu'un l'avait 15 entraîné à Brest... Ici, ce n'est pas gai... Alors, parfois... Je ne pouvais pas me rendormir... Dès cinq heures du matin, j'étais debout à guetter derrière la fenêtre... Il n'aime pas que j'aie l'air de l'attendre, et encore moins que je m'informe de lui... A neuf heures, j'ai couru chez M. Le Pommeret... C'est en revenant par 20 un autre chemin que j'ai vu des gens autour de l'auto... Dites ! Pourquoi l'aurait-on tué ?... C'est le meilleur homme de la terre... Je suis sûre qu'il n'a pas d'ennemis... »

Un groupe stationnait devant la grille.

« Il paraît qu'il y a des taches de sang... J'ai vu des gens lire 25 un journal, mais personne n'a voulu me le montrer...

— Votre mari avait beaucoup d'argent sur lui ?...

— Je ne crois pas... Comme toujours !... Trois ou quatre centaines de francs... »

Maigret promit de la tenir au courant, se donna même la 30 peine de la rassurer par des phrases vagues. Une odeur de gigot arrivait de la cuisine. La bonne en tablier blanc le reconduisit jusqu'à la porte.

Le commissaire n'avait pas fait cent mètres dehors qu'un passant s'approchait vivement de lui.   35

« Excusez-moi, commissaire... Je me présente... M. Dujardin, instituteur... Depuis une heure, des gens, des parents

[21] **J'ai dû m'endormir...** Je me suis sans doute endormie...

de mes élèves surtout, viennent me demander s'il y a quelque chose de vrai dans ce que raconte le journal... Certains[22] veulent savoir si, au cas où ils verraient l'homme aux grands pieds, ils ont le droit de tirer... »

Maigret n'était pas un ange de patience. Il grommela en 5
enfonçant les deux mains dans ses poches :

« F... ez-moi la paix ! »[23]

Et il s'achemina vers le centre de la ville.

C'était idiot![24] Il n'avait jamais vu pareille chose. Cela rappelait les orages tels qu'on les représente parfois au cinéma. 10
On montre une rue riante, un ciel serein. Puis un nuage glisse en surimpression, cache le soleil. Un vent violent balaie la rue. Eclairage glauque. Volets qui claquent. Tourbillons de poussière. Larges gouttes d'eau.

Et voilà la rue sous une pluie battante, sous un ciel drama- 15
tique !

Concarneau changeait à vue d'œil.[25] L'article du *Phare de Brest* n'avait été qu'un point de départ. Depuis longtemps les commentaires verbaux dépassaient grandement la version écrite.

Et c'était dimanche par surcroît ! Les habitants n'avaient 20
rien à faire ! On les voyait choisir comme but de promenade l'auto de Jean Servières, près de laquelle il fallut poster deux agents.[26] Les badauds restaient là une heure, à écouter les explications données par les mieux renseignés.

Quand Maigret rentra à l'hôtel de l'Amiral, le patron à 25
toque blanche, en proie à une nervosité inaccoutumée, l'accrocha par la manche.

« Il faut que je vous parle, commissaire... Cela devient intenable...

— Vous allez avant tout me servir à déjeuner... 30

— Mais... »

Maigret alla s'asseoir dans un coin, rageur, commanda :

« Un demi !... Vous n'avez pas vu mon inspecteur ?...

— Il est sorti... Je crois qu'il a été appelé chez M. le maire...

---

[22] **Certains** c.-à-d., *Certaines personnes*
[23] **F...ez-moi la paix !** *F...ez = Foutez (expression grossière pour « Laissez-moi tranquille ! »)*
[24] **idiot** *absurde*
[25] **à vue d'œil** *rapidement*
[26] **agents** c.-à-d., *agents de police*

On vient encore de téléphoner de Paris... Un journal a retenu deux chambres, pour un reporter et un photographe...

— Le docteur?...

— Il est là-haut... Il a recommandé de ne laisser monter personne... 5

— Et M. Le Pommeret?...

— Il vient de partir... »

Le chien jaune n'était plus là. Des jeunes gens, une fleur à la boutonnière, les cheveux raides de cosmétique, étaient attablés, mais ne buvaient pas les limonades qu'ils avaient commandées. 10 Ils étaient venus pour voir. Ils étaient tout fiers d'avoir eu ce courage.

« Viens ici, Emma... »

Il y avait une sorte de sympathie innée entre la fille de salle et le commissaire. Elle vint vers lui avec abandon, se laissa entraîner 15 dans un coin.

« Tu es sûre que le docteur n'est pas sorti cette nuit?...

— Je vous jure que je n'ai pas couché dans sa chambre...

— Il a pu sortir?...

— Je ne le crois pas... Il a peur... Ce matin, c'est lui qui 20 m'a fait fermer la porte qui donne sur le quai...

— Comment ce chien jaune te connaît-il?...

— Je ne sais pas... Je ne l'ai jamais vu... Il vient... Il repart... Je me demande même qui lui donne à manger...

— Il y a longtemps qu'il est reparti?... 25

— Je n'ai pas fait attention... »

L'inspecteur Leroy rentrait, nerveux.

« Vous savez, commissaire, que le maire est furieux... Et c'est quelqu'un de haut placé!... Il m'a dit qu'il est le cousin du garde des Sceaux...[27] Il prétend que nous battons un beurre,[28] 30 que nous ne sommes bons qu'à jeter la panique dans la ville... Il veut qu'on arrête quelqu'un, n'importe qui, pour rassurer la population... Je lui ai promis de vous en parler... Il m'a répété que notre carrière à tous les deux n'avait jamais été aussi compromise... » 35

---

[27] **garde des Sceaux** *ministre de la Justice en France*
[28] **nous battons un beurre** *c.-à-d., nous gaspillons notre temps*

Maigret gratta posément le fourneau de sa pipe.

« Qu'est-ce que vous allez faire ?

— Rien du tout...

— Pourtant...

— Vous êtes jeune, Leroy ! Vous avez relevé des empreintes 5
intéressantes dans la villa du docteur ?...

— J'ai tout envoyé au laboratoire... Les verres, les boîtes
de conserve, le couteau... J'ai même fait un moulage en plâtre des
traces de l'homme et de celles du chien... Cela a été difficile, car
le plâtre d'ici est mauvais... Vous avez une idée ?... » 10

Pour toute réponse, Maigret tira un carnet de sa poche et
l'inspecteur lut, de plus en plus dérouté :

« ERNEST MICHOUX (dit :[29] le Docteur).—Fils d'un petit
industriel de Seine-et-Oise[30] qui a été député pendant une
législature et qui, ensuite, a fait faillite. Le père est mort. La 15
mère est intrigante. A essayé, avec son fils, d'exploiter un lotissement à Juan-les-Pins.[31] Echec complet. A recommencé à Concarneau. Monté société anonyme, grâce au nom du défunt mari.
N'a pas fait d'apport de capitaux. Essaie d'obtenir actuellement[32]
que les frais de viabilité[33] du lotissement soient payés par la 20
commune et le département.

« Ernest Michoux a été marié, puis divorcé. Son ancienne
femme est devenue l'épouse d'un notaire de Lille.[34]

« Type de dégénéré. Echéances difficiles. »[35]

L'inspecteur regarda son chef avec l'air de dire : 25

« Et après ? »

Maigret lui montra les lignes suivantes :

« YVES LE POMMERET.—Famille Le Pommeret. Son frère
Arthur dirige la plus grosse fabrique de boîtes à conserve de
Concarneau. Petite noblesse. Yves Le Pommeret est le beau 30
garçon de la famille. N'a jamais travaillé. A mangé,[36] il y a

---

[29] **dit** surnommé
[30] **Seine-et-Oise** *département tout proche de Paris*
[31] **Juan-les-Pins** *station balnéaire sur la Côte d'Azur* (« *the French Riviera* »)
[32] **actuellement** *à présent*
[33] **frais de viabilité** *argent nécessaire pour préparer un terrain avant toute construction (routes,
eau, gaz, etc.)*
[34] **Lille** *ville du nord de la France*
[35] **Echéances difficiles** *c.-à-d., Il a de la difficulté à payer ponctuellement ses dettes.*
[36] **mangé** *dissipé*

longtemps, le plus gros de son héritage à Paris. Est venu s'installer à Concarneau quand il n'a plus eu que vingt mille francs de rente. Parvient à faire figure de[37] notable quand même, en cirant lui-même ses chaussures. Nombreuses aventures avec de petites ouvrières. Quelques scandales ont dû être étouffés.[38] Chasse dans tous les châteaux des environs. Porte beau.[39] Est arrivé par relations[40] à se faire nommer vice-consul du Danemark. Brigue la Légion d'honneur. Tape parfois son frère pour payer ses dettes.

« JEAN SERVIERES (pseudonyme de Jean Goyard). — Né dans le Morbihan.[41] Longtemps journaliste à Paris, secrétaire général de petits théâtres, etc... A fait un modeste héritage et s'est installé à Concarneau. A épousé une ancienne ouvreuse, qui était sa maîtresse depuis quinze ans. Train de maison bourgeois. Quelques frasques à Brest et à Nantes. Vit plutôt de petites rentes que du journalisme dont il est très fier. Palmes académiques. »[42]

« Je ne comprends pas! balbutia l'inspecteur.

— Parbleu! Donnez-moi vos notes...

— Mais... qui vous a dit que je...?

— Donnez... »

Le carnet du commissaire était un petit carnet à dix sous, en papier quadrillé, avec couverture de toile cirée. Celui de l'inspecteur Leroy était un agenda à pages mobiles, monté sur acier.

L'air paterne, Maigret lut :

« 1. — AFFAIRE MOSTAGUEN : la balle qui a atteint le négociant en vins était certainement destinée à un autre. Comme on ne pouvait prévoir que quelqu'un s'arrêterait sur le seuil, *on devait avoir donné[43] à cet endroit un rendez-vous à la vraie victime, qui n'est pas venue, ou qui est venue trop tard.*

« *A moins que le but soit de terroriser la population. Le*

---

[37] **faire figure de** passer pour
[38] **Quelques...étouffés** On a été obligé d'étouffer quelques scandales.
[39] **Porte beau** c-à-d., *Il présente une belle apparence.*
[40] **par relations** par ses amis
[41] **le Morbihan** *un des départements de la Bretagne*
[42] **Palmes académiques** *décoration accordée par le gouvernement français aux littérateurs, aux artistes, aux professeurs, etc., pour honorer le mérite*
[43] **on devait avoir donné** on avait probablement donné

meurtrier connaît à merveille Concarneau. (Omis analyser[44] cendres de cigarette trouvées dans le corridor.)

« 2. — AFFAIRE DE PERNOD EMPOISONNÉ : en hiver, le café de l'Amiral est désert presque toute la journée. Un homme au courant de ce détail a pu entrer et verser le poison dans les bouteilles. Dans deux bouteilles. Donc on visait spécialement les consommateurs de Pernod et de calvados. (A noter[45] pourtant que le Docteur a remarqué à temps et sans peine les grains de poudre blanche sur le liquide.)

« 3. — AFFAIRE DU CHIEN JAUNE : il connaît le café de l' Amiral. Il a un maître. Mais qui ? Paraît agé de cinq ans au moins.

« 4. — AFFAIRE SERVIÈRES : découvrir par expertise de l'écriture[46] qui a envoyé article au *Phare de Brest*. »

Maigret sourit, rendit l'agenda à son compagnon, laissa tomber :

« Très bien, petit... »

Puis il ajouta, avec un regard maussade aux silhouettes de curieux qu'on apercevait sans cesse à travers les vitraux verts :

« Allons manger ! »

Emma devait[47] leur annoncer un peu plus tard, alors qu'ils étaient seuls dans la salle à manger avec le voyageur de commerce arrivé le matin, que le docteur Michoux, dont l'état avait empiré, demandait qu'on lui servît dans sa chambre un repas léger.

L'après-midi, le café de l'Amiral, avec ses petits carreaux glauques, fut comme une cage du Jardin des plantes[48] devant laquelle les curieux endimanchés défilent. Et on les voyait se diriger ensuite vers le fond du port, où la voiture de Servières était une seconde attraction gardée par deux policiers.

Le maire téléphona trois fois, de sa somptueuse villa des Sables Blancs.

« Vous avez procédé à une arrestation ?... »

C'est à peine si Maigret se donnait la peine de répondre. La jeunesse de dix-huit à vingt-cinq ans envahit le café. Des groupes

---

[44] **Omis analyser** c.-à-d., *On a omis d'analyser*
[45] **A noter** Il faut noter
[46] **par expertise de l'écriture** par une analyse de l'écriture par des experts
[47] **devait** allait
[48] **Jardin des Plantes** *jardin botanique et zoologique à Paris*

bruyants, qui prenaient possession d'une table, commandaient des consommations qu'on ne buvait pas.

Ils n'étaient pas depuis cinq minutes dans le café que les répliques s'espaçaient, que les rires mouraient, que la gêne faisait place au bluff. Et ils s'en allaient les uns après les autres. 5

La différence fut plus sensible quand on dut allumer les lampes. Il était quatre heures. D'habitude, la foule continuait à circuler.

Ce soir-là, ce fut le désert, et un silence de mort. On eût dit que tous les promeneurs s'étaient donné le mot.[49] En moins 10 d'un quart d'heure, les rues se vidèrent et quand des pas résonnaient c'étaient les pas précipités d'un passant anxieux de se mettre à l'abri chez lui.

Emma était accoudée à la caisse. Le patron allait de sa cuisine au café, où Maigret s'obstinait à ne pas écouter ses doléan- 15 ces.

Ernest Michoux descendit, vers quatre heures et demie, toujours en pantoufles. Sa barbe avait poussé. Son foulard de soie crème était maculé de sueur.

« Vous êtes là, commissaire?... » 20

Cela parut le rassurer.

« Et votre inspecteur?...

— Je l'ai envoyé faire un tour en ville...

— Le chien?

— On ne l'a pas revu depuis ce matin... » 25

Le plancher était gris, le marbre des tables d'un blanc cru veiné de bleu. A travers les vitraux, on devinait l'horloge lumineuse de la vieille ville qui marquait cinq heures moins dix.

« On ne sait toujours pas qui a écrit cet article?... »

Le journal était sur la table. Et on finissait par ne plus voir 30 que quatre mots :

« A qui le tour? »

La sonnerie du téléphone vibra, Emma répondit :

« Non... Rien... Je ne sais rien... 35

— Qui est-ce? s'informa Maigret.

[49] **s'étaient donné le mot** s'étaient mis d'accord pour ne pas sortir

— Encore un journal de Paris... Il paraît que les rédacteurs arrivent en voiture... »

Elle n'avait pas achevé sa phrase que la sonnerie résonnait à nouveau.

« C'est pour vous, commissaire... »

Le docteur, tout pâle, suivit Maigret des yeux.

« Allô!... Qui est à l'appareil?...

— Leroy... Je suis dans la vieille ville, près du passage d'eau... On a tiré un coup de feu... Un cordonnier, qui a aperçu de sa fenêtre le chien jaune...

— Mort?...

— Blessé! les reins cassés... C'est à peine si l'animal peut se traîner... Les gens n'osent pas en approcher... Je vous téléphone d'un café... La bête est au milieu de la rue... Je la vois à travers la vitre... Elle hurle... Qu'est-ce que je dois faire?... »

Et la voix que l'inspecteur eût voulue calme était anxieuse, comme si ce chien jaune blessé eût été un être surnaturel.

« Il y a des gens à toutes les fenêtres... Dites, commissaire, est-ce qu'il faut l'achever?... »

Le docteur, le teint plombé, était debout derrière Maigret, questionnait timidement :

« Qu'est-ce que c'est?... Qu'est-ce qu'il dit?... »

Et le commissaire voyait Emma accoudée au comptoir, le regard vague.

✎ Exercices

I Certains verbes en français sont suivis de l'infinitif sans préposition, tels que *entendre*, *voir*, *laisser*, *écouter*, *regarder*, *sentir*, etc. Transformez les phrases suivantes en employant les verbes entre parenthèses.

EX Le chien hurle. (entendre) > On entend hurler le chien.

1 Les gens chuchotaient dehors. (entendre)
2 L'horloge a sonné. (entendre)
3 Des gens lisaient. (voir)
4 Ils choisissaient comme but de promenade l'auto de Jean Servières. (voir)

5 Personne n'est monté. (laisser)
6 Elle n'est pas sortie. (laisser)

II Répondez affirmativement, puis négativement, aux questions suivantes en employant l'adjectif entre parenthèses.

EX Est-ce qu'on a trouvé quelque chose dans la maison du docteur? (intéressant) > Oui, on a trouvé quelque chose d'intéressant dans la maison du docteur. Non, on n'a rien trouvé d'intéressant dans la maison du docteur.

1 Est-ce qu'il voit quelque chose dans la rue? (anormal)
2 Y avait-il quelque chose dans le journal? (vrai)
3 Est-ce que Maigret a appris quelque chose de Madame Servières? (neuf)
4 Y avait-il quelque chose dans le cahier de Leroy? (utile)
5 A-t-elle dit quelque chose? (bizarre)
6 Leroy annonce-t-il quelque chose? (inquiétant)

III Répondez négativement aux questions, en suivant l'exemple.

EX Avez-vous des journaux? > Non, je n'ai pas de journaux. Je n'en ai pas.

1 Le maire a-t-il reçu des nouvelles?
2 Est-ce que Servières a des ennemis?
3 A-t-on remarqué des jeunes filles dans le café?
4 La police avait-elle arrêté des suspects?
5 Ce soir-là y avait-il des gens dans la rue?
6 Est-ce qu'Emma a donné des renseignements au journal de Paris?

IV Transformez les phrases suivantes en évitant le subjonctif.

EX Il faut que je fasse cela. > Il me faut faire cela.

1 Il fallait qu'il vienne parler à Maigret.
2 Il faut qu'il reçoive toutes les nouvelles.
3 Il faut que tu ailles voir la voiture abandonnée.
4 Il faudra que vous fassiez un détour pour y arriver.

5 Il faut que je sache la vérité.
6 Il fallait qu'il lise ses notes.

V Donnez deux réponses à chacune des questions suivantes en employant *moins de* et *plus de* ou *moins que* et *plus que*.

EX Est-ce qu'il y avait seulement trois personnes dans le café? >
Il y avait plus de trois personnes dans le café. Il y avait moins de trois personnes dans le café.
Est-ce qu'Emma est aussi âgée que Leroy?
Emma est plus âgée que Leroy. Emma est moins âgée que Leroy.

1 Y avait-il seulement soixante bouteilles dans le placard?
2 Est-ce que le maire a reçu seulement vingt coups de téléphone?
3 Est-ce que les notes de Maigret étaient aussi longues que celles de Leroy?
4 Elle a été sa maîtresse pendant seulement quinze ans?
5 Est-ce que le café est aussi désert en été qu'en hiver?
6 Le docteur était-il aussi anxieux que d'habitude?

VI Le verbe *devoir* entraîne parfois des difficultés car le sens de ce verbe peut varier selon le temps du verbe et le contexte. Voici plusieurs phrases basées sur le texte qui montrent quelques-unes des différentes façons d'employer ce verbe.

A Le plus souvent *devoir* exprime la notion d'obligation :

On dut lui chercher un panier à bouteilles.
(*Il a fallu lui chercher un panier à bouteilles.*)

Elle devait répondre à toutes ses questions.
(*Elle était contrainte de répondre à toutes ses questions.*)

Je suis malade mais je devais m'y attendre.
(*Je suis malade mais il fallait m'y attendre.*)

B Souvent *devoir* indique une idée de probabilité, une supposition :

L'été tout cela doit être riant.
(*L'été tout cela est probablement riant.*)

On devait y avoir donné rendez-vous à quelqu'un d'autre.
(*On y a probablement donné rendez-vous à quelqu'un d'autre.*)

J'ai dû m'endormir.
(*Je me suis probablement endormi.*)

C Parfois *devoir* indique ce qui a été prévu ou ce qui est prévu :

Les journalistes devaient arriver hier.
(*Les journalistes étaient censés arriver hier.*)

Emma devait leur annoncer un peu plus tard que le docteur Michoux demandait qu'on lui servît dans sa chambre.
(*Emma allait leur annoncer…*)

Dans les phrases suivantes remplacez *devoir* par une expression équivalente.

EX Je dois partir. > Il me faut partir ou Il faut que je parte ou Je suis obligé de partir.
Vous devez avoir faim. > Vous avez probablement faim ou Vous avez sans doute faim.
Je dois partir demain. > (deux interprétations possibles) Il me faut partir demain ou Je suis censé partir demain.

1 Il dut penser que son chef était de la vieille école.
2 Quelques scandales ont dû être étouffés.
3 On a dû mettre le poison dans la bouteille il y a une demi-heure.
4 La difficulté doit être d'obtenir une telle quantité de strychnine.
5 La peur doit régner à Concarneau maintenant.
6 Servières devait disparaître le lendemain.
7 Elle devait souvent passer près de lui pour aller à la cuisine.
8 On aurait dû savoir d'où venait le chien jaune, mais on ne le savait pas.
9 Les promeneurs ont dû se donner le mot.
10 Plus tard on devait tirer sur le chien.

✎ Questions

Voici quelques débuts de phrases. Complétez-les en vous basant sur ce troisième chapitre.

1 Les sous-titres du journal disent que...
2 Le maire a téléphoné à Maigret pour dire que...
3 L'article raconte que l'auto de Jean Servières...
4 On recherche un individu qui...
5 Maigret téléphone au *Phare de Brest* parce que...
6 Madame Servières a raconté à Maigret que...
7 La brusquerie de Maigret se révèle plus d'une fois, par exemple quand il...
8 Le carnet de Maigret révèle sur le docteur Michoux que...; sur Le Pommeret que...; sur Jean Servières que...
9 Comparé au carnet de Maigret, celui de Leroy...
10 A la fin du chapitre, on apprend que le chien jaune...

P. C. de compagnie

  Maigret traversa le pont-levis, franchit la ligne des remparts, s'engagea dans une rue irrégulière et mal éclairée. Ce que les Concarnois[1] appellent la ville close, c'est-à-dire le vieux quartier encore entouré de ses murailles, est une des parties les plus populeuses de la cité.   5

Et pourtant, alors que[2] le commissaire avançait, il pénétrait dans une zone de silence de plus en plus équivoque. Le silence

---

[1] **les Concarnois** les habitants de Concarneau
[2] **alors que** pendant que

d'une foule qu'hypnotise un spectacle et qui frémit, qui a peur ou qui s'impatiente.

Quelques voix isolées d'adolescents décidés à crâner.

Un tournant encore et le commissaire découvrit la scène : la ruelle étroite, avec des gens à toutes les fenêtres ; des chambres éclairées au pétrole ; des lits entrevus ; un groupe barrant le passage, et, au-delà de ce groupe, un grand vide d'où montait un râle.

Maigret écarta les spectateurs, des jeunes gens[3] pour la plupart, surpris de son arrivée. Deux d'entre eux étaient encore occupés à jeter des pierres dans la direction du chien. Leurs compagnons voulurent arrêter leur geste. On entendit, ou plutôt on devina :

« Attention !... »

Et un des lanceurs de pierres rougit jusqu'aux oreilles tandis que Maigret le poussait vers la gauche, s'avançait vers l'animal blessé. Le silence, déjà, était d'une autre qualité. Il était évident que quelques instants plus tôt une ivresse malsaine animait les spectateurs, hormis une vieille qui criait de sa fenêtre :

« C'est honteux !... Vous devriez leur dresser procès-verbal, commissaire !... Ils sont tous à s'acharner sur cette pauvre bête... Et je sais bien pourquoi, moi !... Parce qu'ils en ont peur... »

Le cordonnier qui avait tiré rentra, gêné, dans sa boutique. Maigret se baissa pour caresser la tête du chien qui lui lança un regard étonné, pas encore reconnaissant. L'inspecteur Leroy sortait du café d'où il avait téléphoné. Des gens s'éloignaient à regret.

« Qu'on amène[4] une charrette à bras... »

Les fenêtres se fermaient les unes après les autres, mais on devinait des ombres curieuses derrière les rideaux. Le chien était sale, ses poils drus maculés de sang. Il avait le ventre boueux, la truffe sèche et brûlante. Maintenant qu'on s'occupait de lui, il reprenait confiance, n'essayait plus de se traîner sur le sol où vingt gros cailloux l'encadraient.

---

[3] **jeunes gens** *Remarquez que souvent* jeunes gens *veut dire* jeunes hommes *plutôt que* jeunes personnes.
[4] **Qu'on amène...** *Voir note* 18, *page* 4.

« Où faut-il le conduire, commissaire ?...

— A l'hôtel... Doucement... Mettez de la paille dans le fond de la charrette... »

Ce cortège aurait pu être ridicule. Il fut impressionnant, par la magie de l'angoisse qui, depuis le matin, n'avait cessé de s'épaissir. La charrette, poussée par un vieux, sauta sur les pavés, le long de la rue aux tournants nombreux, franchit le pont-levis et personne n'osa le suivre. Le chien jaune respirait avec force, étirait ses quatre pattes à la fois dans un spasme.

Maigret remarqua une auto qu'il n'avait pas encore vue en face de l'hôtel de l'Amiral. Quand il poussa la porte du café, il constata que l'atmosphère avait changé.

Un homme le bouscula, vit le chien qu'on soulevait, braqua sur lui un appareil photographique et fit jaillir un éclair de magnésium. Un autre, en culottes de golf, en chandail rouge, un carnet à la main, toucha sa casquette.

« Commissaire Maigret ?... Vasco, du *Journal*... J'arrive à l'instant[5] et j'ai déjà eu la chance de rencontrer monsieur... »

Il désignait Michoux assis dans un coin, adossé à la banquette de molesquine.

« La voiture du *Petit Parisien* nous suit... Elle a eu une panne à dix kilomètres d'ici... »

Emma questionnait le commissaire.

« Où voulez-vous qu'on le mette ?

— Il n'y a pas de place pour lui dans la maison ?...

— Oui... près de la cour... Un réduit où l'on entasse les bouteilles vides...

— Leroy !... Téléphonez à un vétérinaire... »

Une heure plus tôt, c'était le vide, un silence plein de réticences. Maintenant, le photographe, en trench-coat presque blanc, bousculait tables et chaises, s'écriait :

« Un instant... Ne bougez pas, s'il vous plaît... Tournez la tête du chien par ici... »

Et le magnésium fulgurait.

« Le Pommeret ? questionna Maigret en s'adressant au docteur.

---

[5] **J'arrive à l'instant** Je viens d'arriver

« — Il est sorti un peu après vous... Le maire a encore télé-phoné... Je pense qu'il va venir... »

🙰

A neuf heures du soir, c'était une sorte de quartier général. Deux nouveaux reporters étaient arrivés. L'un[6] rédigeait son papier à une table du fond. De temps en temps un photographe descendait de sa chambre.

« Vous n'auriez pas de l'alcool à 90 degrés? Il m'en faut ab-solument pour sécher les pellicules... Le chien est prodigieux!... Vous dites qu'il y a une pharmacie à côté?... Fermée?... Peu importe... »

Dans le corridor, où se trouvait l'appareil téléphonique, un journaliste dictait son papier d'une voix indifférente :

« Maigret, oui... *M* comme Maurice... *A* comme Arthur... Oui... *I* comme Isidore... Prenez tous les noms à la fois... Michoux... *M*... *I*... choux, comme chou... Comme chou de Bruxelles... Mais non, pas comme pou... Attendez... Je vous donne les titres... Cela passera dans la « une »?[7]... Si!... Dites au patron qu'il faut que ça passe en première page... »

Dérouté, l'inspecteur Leroy cherchait sans cesse Maigret des yeux comme pour se raccrocher à lui. Dans un coin, l'unique[8] voyageur de commerce préparait sa tournée du lendemain à l'aide du *Bottin des départements*.[9] De temps en temps il appelait Emma.

« Chauffier... C'est une quincaillerie importante?... Merci... »

Le vétérinaire avait extrait la balle et entouré l'arrière-train du chien d'un pansement roide.

« Ces bêtes-là, ça a la vie tellement dure!... »[10]

On avait étendu une vieille couverture sur de la paille, dans le réduit dallé de granit bleu qui ouvrait à la fois sur la cour et sur

---

[6] **L'un** Un des deux
[7] **la « une »** *première page d'un journal*
[8] **l'unique** le seul
[9] **Bottin des départements** *annuaire professionnel et commercial*
[10] **ça a la vie tellement dure** elles sont très difficiles à tuer. (*Le mot* cela [*ou* ça] *s'applique parfois aux êtres vivants; dans ce cas il prend une valeur affective et peut exprimer des sentiments aussi différents que le mépris ou la tendresse.*)

l'escalier de la cave. Le chien était couché là, tout seul, à dix centimètres d'un morceau de viande auquel il ne touchait pas.

Le maire était venu, en auto. Un vieillard à barbiche blanche, très soigné, aux gestes secs. Il avait sourcillé en pénétrant dans cette atmosphère de corps de garde[11], ou plus exactement de P. C.[12] de compagnie.

« Qui sont ces messieurs?

— Des journalistes de Paris... »

Le maire était à cran.[13]

« Magnifique! Si bien que demain c'est dans toute la France qu'on parlera de cette stupide histoire!... Vous n'avez toujours rien trouvé?...

— L'enquête continue! grogna Maigret du même ton qu'il eût déclaré :

— Cela ne vous regarde pas! »

Car il y avait de l'irritabilité dans l'air. Chacun avait les nerfs à fleur de peau.[14]

« Et vous, Michoux, vous ne rentrez pas chez vous?... »

Le regard du maire était méprisant, accusait le docteur de lâcheté.

« A ce train-là, c'est la panique générale dans les[15] vingt-quatre heures... Ce qu'il fallait, je l'ai dit, c'était une arrestation, n'importe laquelle... »

Et il souligna ces derniers mots d'un regard lancé à Emma.

« Je sais que je n'ai pas d'ordres à vous donner...[16] Quant à la police locale, vous ne lui avez laissé qu'un rôle dérisoire... Mais je vous dis ceci : encore un drame, un seul, et ce sera la catastrophe... Les gens s'attendent à quelque chose... Des boutiques qui, les autres dimanches, restent ouvertes jusqu'à neuf heures, ont fermé leurs volets... Ce stupide article du *Phare de Brest* a épouvanté la population... »

Le maire n'avait pas retiré son chapeau melon de la tête et il l'enfonça davantage en s'en allant après avoir recommandé :

[11] **corps de garde** *lieu à l'usage des soldats qui montent la garde*
[12] **P. C.** Poste de Commandement *(de compagnie militaire)*
[13] **à cran** *à bout de patience*
[14] **Chacun... peau** *c.-à-d., était très nerveux* (à fleur de = près de la surface de)
[15] **dans les** *avant la fin de*
[16] **Je sais... donner** *c.-à-d., Je sais que je n'ai pas le droit de vous donner d'ordres.*

« Je vous serais obligé de me tenir au courant, commissaire...
Et je vous rappelle que tout ce qui se fait en ce moment se fait
sous votre responsabilité...

— Un demi, Emma ! » commanda Maigret.

On ne pouvait pas empêcher les journalistes de descendre
à[17] l'hôtel de l'Amiral, ni de s'installer dans le café, de téléphoner,
de remplir la maison de leur agitation bruyante. Ils réclamaient
de l'encre, du papier. Ils interrogeaient Emma qui montrait un
pauvre visage effaré.

Dehors, la nuit noire, avec un rayon de lune qui soulignait
le romantisme d'un ciel chargé de lourds nuages au lieu de
l'éclairer. Et cette boue qui collait à toutes les chaussures, car
Concarneau ne connaît pas encore les rues pavées !

« Le Pommeret vous a dit qu'il reviendrait ? lança Maigret à
Michoux.

— Oui... Il est allé dîner chez lui...

— L'adresse ?... » demanda un journaliste qui n'avait plus
rien à faire.

Le docteur la lui donna, tandis que le commissaire haussait
les épaules, attirait Leroy dans un coin.

« Vous avez l'original de l'article paru ce matin ?...

— Je viens de le recevoir... Il est dans ma chambre... Le
texte est écrit de la main gauche, par quelqu'un qui craignait donc
que son écriture fût reconnue...

— Pas de timbre ?

— Non ! La lettre a été jetée dans la boîte du journal... Sur
l'enveloppe figure la mention : « extrême urgence »...

— Si bien qu'à huit heures du matin au plus tard quelqu'un
connaissait la disparition de Jean Servières, savait que l'auto
était ou serait abandonnée près de la rivière Saint-Jacques et qu'on
relèverait des traces de sang sur le siège... Et ce quelqu'un, par
surcroît, n'ignorait pas que l'on découvrirait quelque part les
empreintes d'un inconnu aux grands pieds...

— C'est incroyable !... soupira l'inspecteur. Quant à ces
empreintes, je les ai expédiées au Quai des Orfèvres[18] par

[17] **descendre à** loger à
[18] **Quai des Orfèvres** *nom donné au bureau central de la P.J. (Police Judiciaire) situé sur le Quai des Orfèvres à Paris*

bélinogramme.[19] Ils ont déjà consulté les sommiers. J'ai la réponse : elles ne correspondent à aucune fiche de malfaiteur... »

Il n'y avait pas à s'y tromper :[20] Leroy se laissait gagner par la peur ambiante. Mais le plus intoxiqué,[21] si l'on peut dire, par ce virus, était Ernest Michoux, dont la silhouette était d'autant plus falote qu'elle contrastait avec la tenue sportive, les gestes désinvoltes et l'assurance des journalistes.

Il ne savait[22] où se mettre. Maigret lui demanda :

« Vous ne vous couchez pas?...

— Pas encore... Je ne m'endors jamais avant une heure du matin... »

Il s'efforçait d'esquisser un sourire raté qui montrait deux dents en or.

« Franchement, qu'est-ce que vous pensez? »

L'horloge lumineuse de la vieille ville égrena dix coups. On appela le commissaire au téléphone. C'était le maire.

« Rien encore?... »

Est-ce qu'il s'attendait, lui aussi, à un drame?

Mais, au fait, Maigret ne s'y attendait-il pas lui-même? Le front têtu, il alla rendre visite au chien jaune qui s'était assoupi et qui, sans peur, ouvrit un œil et le regarda s'avancer. Le commissaire lui caressa la tête, poussa un peu de paille sous les pattes.

Il aperçut le patron derrière lui.

« Vous croyez que ces messieurs de la presse vont rester longtemps?... Parce qu'il faudrait dans ce cas que je songe aux provisions... C'est demain à six heures le marché... »

Quand on n'était pas habitué à Maigret, c'était déroutant, en pareil cas, de voir ses gros yeux vous fixer au front comme sans vous voir, puis de l'entendre grommeler quelque chose d'inintelligible en s'éloignant, avec l'air de vous tenir pour quantité négligeable.

Le reporter du *Petit Parisien* rentrait, secouait son ciré ruisselant d'eau.

« Tiens!... Il pleut?... Quoi de neuf, Groslin?... »

[19] **bélinogramme** *document transmis par un procédé inventé par Edouard Belin qui permet de télégraphier l'écriture ou le dessin*
[20] **Il n'y avait pas à s'y tromper** On ne pouvait en douter
[21] **intoxiqué** empoisonné
[22] **Il ne savait** Il ne savait [pas]. *Le mot* pas *est parfois omis après le verbe* savoir.

Une flamme pétillait dans les prunelles du jeune homme qui dit quelques mots à voix basse au photographe qui l'accompagnait, puis décrocha le récepteur du téléphone.

« *Petit Parisien*, mademoiselle... Service de Presse... Priorité !... Alors, donnez vite... Allô !... Allô !... *Le Petit Parisien* ?... Mademoiselle Germaine ?... Passez-moi la sténo de service... Ici, Groslin ! »

Sa voix était impatiente. Et son regard semblait défier les confrères qui l'écoutaient. Maigret, qui passait derrière lui, s'arrêta pour écouter.

« Allô !... C'est vous, mademoiselle Jeanne ? En vitesse, hein !... Il est encore temps pour quelques éditions de province... Les autres ne l'auront que dans l'édition de Paris... Vous direz au secrétaire de rédaction de rédiger le papier... Je n'ai pas le temps...

« Affaire de Concarneau... Nos prévisions étaient justes... Nouveau crime... Allô ! oui, *crime* !... Un homme tué, si vous aimez mieux... »

Tout le monde s'était tu. Le docteur, fasciné, se rapprochait du journaliste qui poursuivait, fiévreux, triomphant, trépignant :

« Après M. Mostaguen, après le journaliste Jean Servières, M. Le Pommeret !... Oui... Je vous ai épelé le nom tout à l'heure... Il vient d'être trouvé mort dans sa chambre... Chez lui !... Pas de blessure... Les muscles sont raidis et tout fait croire à un empoisonnement... Attendez... Terminez par : « *la terreur règne...* » Oui !... Courez voir le secrétaire de rédaction... Je vous dicterai tout à l'heure un papier pour l'édition de Paris, mais il faut que l'information passe dans les éditions de province... »

Il raccrocha, s'épongea, jeta à la ronde[23] un regard de jubilation.

Le téléphone fonctionnait déjà.

« Allô !... Le commissaire ?... Il y a un quart d'heure qu'on essaie de vous avoir... Ici, la maison de M. Le Pommeret... Vite !... Il est mort !... »

Et la voix répéta dans un ululement :

« Mort... »

[23] **à la ronde** c.-à-d., *tout autour de lui*

Maigret regarda autour de lui. Sur presque toutes les tables, il y avait des verres vides. Emma, exsangue, suivait le policier des yeux.

« Qu'on ne touche ni à un verre ni à une bouteille! commanda-t-il... Vous entendez, Leroy?... Ne bougez pas d'ici... »

Le docteur, le front ruisselant de sueur, avait arraché son foulard et on voyait son cou maigre, sa chemise maintenue par un bouton de col à bascule.[24]

∾

Quand Maigret arriva dans l'appartement de Le Pommeret, un médecin qui habitait la maison voisine avait déjà fait les premières constatations.

Il y avait là une femme d'une cinquantaine d'années, la propriétaire de l'immeuble, celle-là même qui avait téléphoné.

Une jolie maison en pierres grises, face à la mer. Et toutes les vingt secondes, le pinceau lumineux du phare incendiait les fenêtres.

Un balcon. Une hampe de drapeau et un écusson aux armes du Danemark.

Le corps était étendu sur le tapis rougeâtre d'un studio encombré de bibelots sans valeur. Dehors, cinq personnes regardèrent passer le commissaire sans prononcer une parole.

Sur les murs, des photographies d'actrices, des dessins découpés dans les journaux galants et mis sous verre, quelques dédicaces de femmes.

Le Pommeret avait la chemise arrachée. Ses souliers étaient encore lourds de boue.

« Strychnine! dit le médecin. Du moins je le jurerais... Regardez ses yeux... Et surtout rendez-vous compte de la raideur du corps... L'agonie a duré plus d'une demi-heure. Peut-être plus...

— Où étiez-vous? demanda Maigret à la logeuse.

— En bas... Je sous-louais tout le premier étage à M. Le Pommeret, qui prenait ses repas chez moi... Il est rentré dîner vers huit heures... Il n'a presque rien mangé... Je me souviens

---

[24] **bouton de col à bascule** *bouton qui sert à fixer un col détachable à la chemise*

qu'il a prétendu que l'électricité marchait[25] mal, alors que les lampes éclairaient normalement...

« Il m'a dit qu'il allait ressortir, mais qu'il prendrait d'abord un cachet d'aspirine, car il avait la tête lourde... »

Le commissaire regarda le docteur d'une façon interrogative. 5

« C'est bien cela !... Les premiers symptômes...

— Qui se déclarent combien de temps après l'absorption du poison ?...

— Cela dépend de la dose et de la constitution de l'homme... Parfois une demi-heure... D'autres fois deux heures... 10

— Et la mort ?...

— ... ne survient qu'à la suite de paralysie générale... Mais il y a auparavant des paralysies locales... Ainsi, il est probable qu'il a essayé d'appeler... Il était couché sur ce divan... »

Ce même divan qui valait au logis de Le Pommeret d'être 15 appelé : la maison des turpitudes ! Les gravures galantes étaient plus nombreuses qu'ailleurs autour du meuble. Une veilleuse distillait une lumière rose.

« Il s'est agité, comme dans une crise de *delirium tremens*... La mort l'a pris par terre... » 20

. Maigret marcha vers la porte qu'un photographe voulait franchir et la lui ferma au nez.

Il calculait à mi-voix :

« Le Pommeret a quitté le café de l'Amiral un peu après sept heures... Il avait bu une fine à l'eau... Ici, un quart d'heure 25 plus tard, il a bu et mangé... D'après ce que vous me dites des effets de la strychnine, il a pu tout aussi bien avaler le poison là-bas qu'ici... »

Il se rendit tout à coup au rez-de-chaussée, où la logeuse pleurait, encadrée par trois voisines. 30

« Les assiettes, les verres du dîner ?... »

Elle fut quelques instants sans comprendre. Et, quand elle voulut répondre, il avait déjà aperçu, dans la cuisine, une bassine d'eau encore chaude, des assiettes propres à droite, des sales à gauche, et des verres. 35

« J'étais occupée à faire la vaisselle quand... »

Un sergent de ville arrivait.

[25] **marchait** fonctionnait

« Gardez la maison. Mettez tout le monde dehors, sauf la propriétaire... Et pas un journaliste, pas un photographe !... Qu'on ne touche pas à un verre, ni à un plat... »

Il y avait cinq cents mètres à parcourir dans la bourrasque pour regagner l'hôtel. La ville était dans l'ombre. C'est à peine s'il restait deux ou trois fenêtres éclairées, à de grandes distances l'une de l'autre.

Sur la place, par contre, à l'angle du quai, les trois baies verdâtres de l'hôtel de l'Amiral étaient illuminées, mais à cause des vitraux, elles donnaient plutôt l'impression d'un monstrueux aquarium.

Quand on approchait, on percevait des bruits de voix, une sonnerie de téléphone, le ronron d'une voiture qu'on mettait en marche.

« Où allez-vous ? » questionna Maigret.

Il s'adressait à un journaliste.

« La ligne est occupée ! Je vais téléphoner ailleurs... Dans dix minutes, il sera trop tard pour mon édition de Paris... »

L'inspecteur Leroy debout dans le café, avait l'air d'un pion[26] qui surveille l'étude du soir. Quelqu'un écrivait sans trêve. Le voyageur de commerce restait ahuri, mais passionné, dans cette atmosphère nouvelle pour lui.

Tous les verres étaient restés sur les tables. Il y avait des verres à pied ayant contenu des apéritifs, des demis encore gras de mousse, des petits verres à liqueur.

« A quelle heure a-t-on débarrassé les tables ?... »

Emma chercha dans sa mémoire.

« Je ne pourrais pas dire. Il y a des verres que j'ai enlevés au fur et à mesure...[27] D'autres sont là depuis l'après-midi...

— Le verre de M. Le Pommeret ?...

— Qu'est-ce qu'il a bu, M. Michoux ?... »

Ce fut Maigret qui répondit :

« Une fine à l'eau... »

Elle regarda les soucoupes[28] les unes après les autres.

« Six francs... Mais j'ai servi un whisky à un de ces messieurs

---

[26] **pion** *nom donné par les écoliers à leurs surveillants*
[27] **au fur et à mesure** *c.-à-d., quand j'en avais besoin*
[28] **Elle regarda les soucoupes** *pour savoir quel verre contenait la fine à l'eau, Emma examina les soucoupes, sur lesquelles étaient indiqués les prix des différentes boissons.*

et c'est le même prix... Peut-être est-ce ce verre-ci?... Peut-être pas... »

Le photographe, qui ne perdait pas le nord,[29] prenait des clichés de toute cette verrerie glauque étalée sur les tables de marbre.

« Allez me chercher le pharmacien! » commanda le commissaire à Leroy.

Et ce fut vraiment la nuit des verres et des assiettes. On en apporta de la maison du vice-consul de Danemark. Les reporters pénétraient dans le laboratoire du pharmacien comme chez eux et l'un d'eux, ancien étudiant en médecine, participait même aux analyses.

Le maire, au téléphone, s'était contenté de laisser tomber d'une voix coupante :

« ... toutes vos responsabilités... »

On ne trouvait rien. Par contre, le patron surgit soudain, questionna :

« Qu'est-ce qu'on a fait du chien?... »

Le réduit où on l'avait couché sur de la paille était vide. Le chien jaune, incapable de marcher et même de se traîner, à cause du pansement qui emprisonnait son arrière-train, avait disparu.

Les verres ne révélaient rien.

« Celui de M. Le Pommeret a peut-être été lavé... Je ne sais plus... Dans cette bousculade!... » disait Emma.

Chez la logeuse aussi, la moitié de la vaisselle avait été passée à l'eau chaude.

Ernest Michoux, le teint terreux, s'inquiétait surtout de la disparition du chien.

« C'est par la cour qu'on est venu le chercher!... Il y a une entrée sur le quai... Une sorte d'impasse... Il faudrait faire condamner la porte, commissaire... Sinon... Pensez qu'on a pu pénétrer ici sans que personne s'en aperçoive!... Et repartir avec cet animal dans les bras!... »

On eut dit qu'il n'osait pas quitter le fond de la salle, qu'il se tenait aussi loin des portes que possible.

---

[29] **ne perdait pas le nord** c.-à-d., *ne se laissait pas distraire*

∾ Exercices

I Transformez les phrases suivantes en employant *que* + 3^e personne du subjonctif.

EX Allez chercher le pharmacien! > Qu'on aille chercher le pharmacien!

1 Téléphonez à l'hôpital!
2 Amenez une charrette à bras!
3 Donnez-moi le journal!
4 Dites-lui de rédiger le papier!
5 N'y touchez pas!
6 Mettez tout le monde dehors!

II Transformez les phrases suivantes selon l'exemple.

EX Maigret a demandé qu'on conduise le chien à l'hôtel. > Maigret a fait conduire le chien à l'hôtel.

1 Le docteur a demandé qu'on cherche les journaux.
2 Le docteur a demandé qu'on ferme la porte.
3 Maigret a demandé qu'on mette le chien quelque part dans la maison.
4 Maigret a demandé qu'on apporte un demi.
5 On a demandé qu'on montre les assiettes.
6 Maigret a demandé qu'on garde la maison.

III Faites des questions selon l'exemple, en employant la forme convenable du pronom interrogatif *lequel* (*laquelle*, *auquel*, *duquel*, etc.).

EX Maigret a poussé un des garçons. > Lequel est-ce que Maigret a poussé?

1 Leroy parle d'un certain article anonyme.
2 Le reporter téléphone à un journal de Paris.
3 Maigret regardait les gravures autour du divan.
4 Le médecin parlait des premiers symptômes d'empoisonnement.

5 On a cherché le verre de M. Le Pommeret.
6 Le docteur fait mention de l'entrée sur le quai.

Reprenez ces mêmes phrases en employant la forme convenable de l'adjectif interrogatif *quel*.

EX Maigret a poussé un des garçons. > Quel garçon est-ce que Maigret a poussé?

IV Transformez les phrases suivantes selon l'exemple.

EX Il voulait connaître les effets du poison. > Ce qu'il voulait connaître, c'était les effets du poison.

1 Le maire désirait une arrestation.
2 Le Pommeret aimait les gravures galantes.
3 Il remarquait que l'atmosphère du café avait changé.
4 Il fallait que l'article passe en première page.
5 C'est sûr qu'il a bu une fine à l'eau.
6 On ne sait pas qui a emporté le chien.

V Formez des questions qui correspondent aux mots en italiques dans les phrases suivantes, en employant des adverbes interrogatifs (*quand, où, pourquoi, comment*) ou des pronoms interrogatifs (*qui, qui est-ce qui, qui est-ce que, qu'est-ce qui, qu'est-ce que*).

EX Maigret traversa *le pont-levis*. > Qu'est-ce que Maigret traversa?

1 Maigret a écarté *les spectateurs*.
2 Le Pommeret était sorti *un peu après Maigret*.
3 Le chien était couché *à dix centimètres de la viande*.
4 *L'article* avait été écrit de la main gauche.
5 Il a pris un cachet d'aspirine *car il avait la tête lourde*.
6 La mort l'a pris *par terre*.
7 Le Pommeret avait bu *une fine à l'eau*.
8 J'ai enlevé les verres *au fur et à mesure*.
9 *Le photographe* prenait des clichés.

VI *En* et *dans* s'emploient dans des indications temporelles ; *en* s'applique à une certaine durée, *dans* exprime un moment déterminé.

EN :
Je suis né *en* 1945.
Il y fait très chaud *en* été.
On peut faire le voyage *en* trois jours.
J'ai écrit l'article *en* une demi-heure.
DANS :
Je pars *dans* trois jours.
J'aurai fini *dans* une demi-heure.

Complétez les phrases suivantes en employant *en* ou *dans*.

1 Ils arrivaient à l'hôtel ——— quelques minutes.
2 Ils arriveront à l'hôtel ——— quelques minutes.
3 Il pleut beaucoup à Concarneau ——— hiver.
4 On a rédigé le papier ——— peu de temps.
5 Le Pommeret arrivera chez lui ——— un quart d'heure.
6 La ligne est occupée mais je ne peux pas attendre ; ——— dix minutes il sera trop tard.

✎ Questions

1 Expliquez le sens de l'expression « ville close ».
2 Que veut dire l'auteur quand il écrit qu'une « ivresse malsaine » animait les spectateurs ?
3 Pourquoi et comment l'atmosphère du café avait-elle changé pendant l'absence de Maigret ?
4 A quoi ressemblait le café à neuf heures du soir ? Quel est le rapport entre cette comparaison et le titre du chapitre ?
5 Pourquoi le maire n'est-il pas content de voir les journalistes ?
6 Au fond, qui est-ce que le maire veut qu'on arrête ?
7 Quelle est l'attitude de Maigret envers le maire ?
8 Que sait-on à propos de l'article paru dans le journal du matin ?

9 De quelle manière inattendue est-ce qu'on apprend la mort de Le Pommeret?

10 Décrivez la chambre de Le Pommeret.

11 Qu'est-ce qui fait penser au médecin que Le Pommeret a été empoisonné?

12 Qu'est-ce qui donne à Leroy l'air d'un pion?

13 Pourquoi n'a-t-on pas pu trouver le verre de Le Pommeret?

14 Expliquez comment il était possible d'enlever le chien.

15 Ce chapitre est particulièrement mouvementé tant en ce qui concerne les activités physiques des personnages que la multiplication d'incidents. Donnez des exemples que vous discuterez en essayant de préciser l'intention de l'auteur.

L'Homme du Cabélou

❧ Il était huit heures du matin. Maigret, qui ne s'était pas couché, venait de prendre un bain et achevait de se raser devant un
miroir suspendu à l'espagnolette de la fenêtre.

Il faisait plus froid que les jours précédents. La pluie trouble
ressemblait à de la neige fondue. Un reporter, en bas, guettait 5
l'arrivée des journaux de Paris. On avait entendu siffler le train
de sept heures et demie. Dans quelques instants, on verrait arriver
les porteurs d'éditions sensationnelles.

Sous les yeux du commissaire, la place était encombrée par
le marché hebdomadaire. Mais on devinait que ce marché n'avait 10

pas son animation habituelle. Les gens parlaient bas. Des paysans semblaient inquiets des nouvelles qu'ils apprenaient.

Sur le terre-plein, il y avait une cinquantaine d'étals, avec des mottes de beurre, des œufs, des légumes, des bretelles et des bas de soie. A droite, des carrioles de tous modèles stationnaient et l'ensemble était dominé par le glissement ailé des coiffes blanches aux larges dentelles.

Maigret ne s'aperçut qu'il se passait quelque chose qu'en voyant toute une portion du marché changer de physionomie, les gens s'agglutiner et regarder dans une même direction. La fenêtre était fermée. Il n'entendait pas les bruits, ou plutôt ce n'était qu'une rumeur confuse qui lui parvenait.

Il chercha plus loin. Au port, quelques pêcheurs chargeaient des paniers vides et des filets dans les barques. Mais ils s'immobilisaient soudain, faisaient la haie[1] au passage des deux agents de police de la ville qui conduisaient un prisonnier vers la mairie.

Un des policiers était tout jeune, imberbe. Son visage était pétri de[2] naïveté. L'autre portait de fortes moustaches acajou, et d'épais sourcils parvenaient presque à lui donner un air terrible.

Au marché, les discussions avaient cessé. On regardait les trois hommes qui s'avançaient. On se montrait les menottes serrant les poignets du malfaiteur.

Un colosse! Il marchait penché en avant, ce qui faisait paraître ses épaules deux fois plus larges. Il traînait les pieds dans la boue et c'était lui qui semblait tirer les agents en remorque.[3]

Il portait un vieux veston quelconque. Sa tête nue était plantée de cheveux drus, très courts et très bruns.

Le journaliste courait dans l'escalier, ébranlait une porte, criait à son photographe endormi :

« Benoît!... Benoît!... Vite!... Debout... Un cliché épatant... »

Il ne croyait pas si bien dire.[4] Car, pendant que Maigret effaçait les dernières traces de savon sur ses joues et cherchait son veston, sans quitter la place des yeux, il se passa un événement vraiment extraordinaire.

---

[1] **faisaient la haie** *c.-à-d.*, *s'écartaient*
[2] **pétri de** plein de
[3] **tirer... en remorque** *c.-à-d.*, *tirer... derrière lui*
[4] **Il... dire** Il ne savait pas à quel point il avait raison.

La foule n'avait pas tardé à se resserrer autour des agents et du prisonnier. Brusquement celui-ci, qui devait guetter depuis longtemps l'occasion, donna une violente secousse à ses deux poignets.

De loin, le commissaire vit les piteux bouts de chaîne qui 5 pendaient aux mains des policiers. Et l'homme fonçait sur le public. Une femme roula par terre. Des gens s'enfuirent. Personne n'était revenu de sa stupeur que le prisonnier avait bondi dans une impasse, à vingt mètres de l'hôtel de l'Amiral, tout à côté de la maison vide dont la boîte aux lettres avait craché une balle de 10 revolver le vendredi précédent.

Un agent — le plus jeune — faillit tirer, hésita, se mit à courir en tenant son arme de telle manière que Maigret attendait l'accident. Un auvent de bois céda sous la pression des fuyards et son toit de toile s'abattit sur les mottes de beurre. 15

Le jeune agent eut le courage de se précipiter tout seul dans l'impasse. Maigret, qui connaissait les lieux, acheva de s'habiller sans fièvre.[5]

Car ce serait désormais un miracle de retrouver la brute. Le boyau, large de deux mètres, faisait deux coudes en angle droit. 20 Vingt maisons qui donnaient sur le quai ou sur la place avaient une issue dans l'impasse. Et il y avait en outre[6] des hangars, les magasins d'un marchand de cordages et d'articles pour bateau, un dépôt de boîtes à conserve, tout un fouillis de constructions irrégulières, des coins et des recoins, des toits facilement acces- 25 sibles qui rendaient une poursuite à peu près impossible.

La foule, maintenant, se tenait à distance. La femme qu'on avait renversée, rouge d'indignation, tendait le poing dans toutes les directions tandis que des larmes venaient trembler sous son menton. 30

Le photographe sortit de l'hôtel, un trench-coat passé[7] sur son pyjama, pieds nus.

Une demi-heure plus tard, le maire arrivait, peu après le 35

---

[5] **sans fièvre** sans hâte
[6] **en outre** de plus
[7] **passé** mis

lieutenant de gendarmerie dont les hommes se mettaient en devoir de[8] fouiller les maisons voisines.

En trouvant Maigret attablé dans le café en compagnie du jeune agent et occupé à dévorer des toasts, le premier magistrat de la ville trembla d'indignation.

« Je vous ai prévenu, commissaire, que je vous rendais responsable de... de... Mais cela n'a pas l'air de vous émouvoir !... J'enverrai tout à l'heure un télégramme au ministère de l'Intérieur pour le mettre au courant de... de... et lui demander... Avez-vous seulement vu ce qui se passe dehors ?... Les gens fuient leur maison... Un vieillard impotent[9] hurle d'effroi parce qu'il est immobilisé à un deuxième étage... On croit voir le bandit partout... »

Maigret se retourna, aperçut Ernest Michoux qui, tel un enfant peureux, se tenait aussi près de lui que possible sans déplacer plus d'air qu'un fantôme.

« Vous remarquerez que c'est la police locale, c'est-à-dire de simples agents de police, qui l'ont arrêté, pendant que...

— Vous tenez toujours à ce que je procède à une arrestation ?

— Que voulez-vous dire ?... Prétendez-vous mettre la main sur le fuyard ?...

— Vous m'avez demandé hier une arrestation, n'importe laquelle... »

Les journalistes étaient dehors, aidaient les gendarmes dans leurs recherches. Le café était à peu près vide, en désordre, car on n'avait pas encore eu le temps de faire le nettoyage. Une âcre odeur de tabac refroidi prenait à la gorge. On marchait sur les bouts de cigarette, les crachats, la sciure et les verres brisés.

Le commissaire, cependant, tirait de son portefeuille un mandat d'arrêt en blanc.

« Dites un mot, monsieur le maire, et je...

— Je serais curieux de savoir qui vous arrêteriez !...

— Emma !... Une plume et de l'encre, s'il vous plaît... »

Il fumait à petites bouffées. Il entendit le maire qui grommelait avec l'espoir d'être entendu :

« Du bluff !... »

[8] **se mettaient en devoir de** se préparaient à
[9] **impotent** *c.-à-d., qui ne peut pas marcher*

Mais il ne se démonta pas,[10] écrivit à grands jambages écrasés, selon son habitude :

« ... le nommé Ernest Michoux, administrateur de la Société Immobilière des Sables Blancs... »   5

∽

Ce fut plus comique que tragique. Le maire lisait à l'envers.[11] Maigret dit :

« Et voilà ! Puisque vous y tenez, j'arrête le docteur... »

Celui-ci les regarda tous les deux, esquissa un sourire 10 jaune,[12] comme un homme qui ne sait que répondre à une plaisanterie. Mais c'était Emma que le commissaire observait, Emma qui marchait vers la caisse et qui se retourna soudain, moins pâle qu'à l'ordinaire, sans pouvoir maîtriser un tressaillement de joie.   15

« Je suppose, commissaire, que vous vous rendez compte de la gravité de...

— C'est mon métier, monsieur le maire.

— Et tout ce que vous trouvez à faire, après ce qui vient de se passer, c'est d'arrêter un de mes amis... de mes camarades 20 plutôt... enfin, un des notables de Concarneau, un homme qui...

— Avez-vous une prison confortable ?... »

Michoux, pendant ce temps-là, ne semblait préoccupé que par la difficulté d'avaler sa salive.   25

« A part[13] le poste de police, à la mairie, il n'y a que la gendarmerie, dans la vieille ville... »

L'inspecteur Leroy venait d'entrer. Il eut la respiration coupée quand Maigret lui dit de sa voix la plus naturelle :

« Dites donc, vieux ! Vous seriez bien gentil de conduire 30 le docteur à la gendarmerie... Discrètement !... Inutile de lui passer les menottes... Vous l'écrouerez, tout en veillant à ce qu'il ne manque de rien...

— C'est de la folie pure ! balbutia le docteur. Je n'y comprends rien... Je... C'est inouï !... C'est infâme !...   35

---

[10] **ne se démonta pas** ne se laissa pas déconcerter
[11] **à l'envers** du mauvais côté
[12] **sourire jaune** sourire contraint
[13] **A part** Excepté

— Parbleu! » grommela Maigret.

Et, se tournant vers le maire :

« Je ne m'oppose pas à ce qu'on continue à rechercher votre vagabond... Cela amuse la population... Peut-être même est-ce[14] utile... Mais n'attachez pas trop d'importance à sa capture... Rassurez les gens...

— Vous savez que quand on a mis la main sur lui, ce matin, on l'a trouvé porteur d'un couteau à cran d'arrêt?...[15]

— Ce n'est pas impossible... »

Maigret commençait à s'impatienter. Debout, il endossait son lourd pardessus à col de velours, brossait de la manche son chapeau melon.

« A tout à l'heure, monsieur le maire... Je vous tiendrai au courant... Encore un conseil : qu'on ne raconte pas trop d'histoires aux journalistes... Au fond, dans tout ceci, c'est à peine s'il y a de quoi fouetter un chat...[16] Vous venez?... »

Ces derniers mots s'adressaient au jeune sergent de ville qui regarda le maire avec l'air de dire :

« Excusez-moi... Mais je suis obligé de le suivre... »

L'inspecteur Leroy tournait autour du docteur comme un homme bien embarrassé par un fardeau encombrant.

On vit Maigret tapoter en passant la joue d'Emma, puis traverser la place sans s'inquiéter de la curiosité des gens.

« C'est par ici?...

— Oui... Il faut faire le tour des bassins... Nous en avons pour une demi-heure... »[17]

Les pêcheurs étaient moins bouleversés que la population par le drame qui se jouait autour du café de l'Amiral et une dizaine de bateaux, profitant du calme relatif, se dirigeaient à la godille vers la sortie du port où ils prenaient le vent.

L'agent de police lançait à Maigret des regards d'écolier attentif à plaire à son instituteur.

« Vous savez... M. le maire et le docteur jouaient aux cartes

---

[14] **Peut-être... est-ce** *Notez qu'il y a inversion du sujet après* peut-être. *Pour éviter cette inversion on peut utiliser* peut-être que; *par exemple,* peut-être que c'est...

[15] **couteau à cran d'arrêt** *couteau dont la lame se déplie sous l'action d'un ressort*

[16] **c'est à peine... chat** *c.-à-d., il n'y a rien de très grave*

[17] **Nous... demi-heure** *Cela nous prendra une demi-heure*

ensemble au moins deux fois par semaine... Cela a dû lui donner un coup...[18]

— Qu'est-ce que les gens du pays racontent?...

— Cela dépend des gens... Les petits, les ouvriers, les pê- cheurs ne s'émeuvent pas trop... Et même, ils sont presque 5 contents de ce qui arrive... Parce que le docteur, M. Le Pom- meret et M. Servières n'avaient pas très bonne réputation... C'é- taient des messieurs, évidemment... On n'osait rien leur dire... N'empêche qu'ils[19] abusaient un peu, quand ils débauchaient toutes les gamines des usines... L'été, avec leurs amis de Paris, 10 c'était pis... Ils étaient toujours à boire, à faire du bruit dans les rues à des[20] deux heures du matin, comme si la ville leur appar- tenait... Nous avons reçu souvent des plaintes... Surtout en ce qui concerne M. Le Pommeret, qui ne pouvait pas voir un jupon sans s'emballer...[21] C'est triste à dire... Mais les usines ne tra- 15 vaillent guère... Il y a du chômage... Alors, avec de l'argent... toutes ces filles...

— Dans ce cas, qui est ému?...

— Les autres!... Les bourgeois!... Et les commerçants qui se frottaient au[22] groupe du café de l'Amiral... C'était comme le 20 centre de la ville, n'est-ce pas?... Même le maire qui y venait... »

L'agent était flatté de l'attention que lui prêtait Maigret.

« Où sommes-nous?

— Nous venons de quitter la ville... A partir d'ici, la côte est à peu près déserte... Il n'y a que des rochers, des bois de sapins, 25 quelques villas habitées l'été par des gens de Paris... C'est ce que nous appelons la Pointe de Cabélou...

— Qu'est-ce qui vous a donné l'idée de fureter de ce côté?...

— Quand vous nous avez dit, à mon collègue et à moi, de rechercher un vagabond qui pourrait être le propriétaire du 30 chien jaune, nous avons d'abord fouillé les vieux bateaux de l'arrière-port... De temps en temps, on y trouve un chemineau... L'an dernier, un cotre a brûlé, parce qu'un rôdeur avait oublié d'éteindre le feu qu'il y avait allumé pour se réchauffer...

[18] **lui donner un coup** le choquer
[19] **N'empêche qu'ils** Il est néanmoins vrai qu'ils
[20] **à des** c.-à-d., à des heures comme
[21] **s'emballer** s'enthousiasmer
[22] **se frottaient au** s'associaient avec

— Rien trouvé ?

— Rien... C'est mon collègue qui s'est souvenu de l'ancien poste de veille du Cabélou... Nous y arrivons... Vous voyez cette construction carrée, en pierres de taille, sur la dernière avancée de roche ?... Elle date de la même époque que les fortifications de la vieille ville... Venez par ici... Faites attention aux ordures... Il y a très longtemps, un gardien vivait ici, comme qui dirait[23] un veilleur, dont la mission était de signaler les passages de bateaux... On voit très loin... On domine la passe des Glénan, la seule qui donne accès à la rade... Mais il y a peut-être cinquante ans que c'est désaffecté... »

Maigret franchit un passage dont la porte avait disparu, pénétra dans une pièce dont le sol était de terre battue. Vers le large, d'étroites meurtrières donnaient vue sur la mer. De l'autre côté, une seule fenêtre, sans carreaux, sans montants.

Et, sur les murs de pierre, des inscriptions faites à la pointe du couteau. Par terre, des papiers sales, des détritus innombrables.

« Voilà !... Pendant près de quinze ans, un homme a vécu ici, tout seul... Un simple d'esprit... Une sorte de sauvage... Il couchait dans ce coin, indifférent au froid, à l'humidité, aux tempêtes qui jetaient des paquets de mer par les meurtrières... C'était une curiosité... Les Parisiens venaient le voir, l'été, lui donnaient des pièces de monnaie... Un marchand de cartes postales a eu l'idée de le photographier et de vendre ces portraits à l'entrée... L'homme a fini par mourir, pendant la guerre... Personne n'a songé à nettoyer l'endroit... J'ai pensé hier que, si quelqu'un se cachait dans le pays, c'était peut-être ici... »

Maigret s'engagea dans un étroit escalier de pierre creusé à même l'épaisseur[24] du mur, arriva dans une guérite ou plutôt dans une tour de granit ouverte des quatre côtés et permettant d'admirer toute la région.

« C'était le poste de veille... Avant l'invention des phares, on allumait un feu sur la terrasse... Donc, ce matin de bonne heure, nous sommes venus, mon collègue et moi. Nous avancions sur la pointe des pieds. En bas, à la place même où dormait jadis le fou, nous avons vu un homme qui ronflait... Un colosse !...

[23] **comme qui dirait** une sorte de
[24] **à même l'épaisseur** c.-à-d., *dans l'épaisseur même*

On entendait sa respiration à quinze mètres... Et nous sommes arrivés à lui passer les menottes avant qu'il se réveille... »

Ils étaient redescendus dans la chambre carrée que les courants d'air rendaient glaciale.

« Il s'est débattu?...   5

— Même pas!... Mon collègue lui a demandé ses papiers et il n'a pas répondu... Vous n'avez pas pu le voir... A lui seul, il est plus fort que nous deux... Au point que je n'ai pas lâché la crosse de mon revolver... Des mains!... Les vôtres sont grosses, n'est-ce pas?... Eh bien, essayez d'imaginer des mains deux fois 10 plus grosses, avec des tatouages...

— Vous avez vu ce qu'ils représentaient?

— Je n'ai vu qu'une ancre, sur la main gauche, et les lettres « S. S. » des deux côtés... Mais il y avait des dessins compliqués... Peut-être un serpent?... Nous n'avons pas touché à ce qui traînait 15 par terre... Tenez!... »

Il y avait de tout : des bouteilles de vin fin, d'alcool de luxe, des boîtes à conserve vides et une vingtaine de boîtes intactes.

Il y avait mieux : les cendres d'un feu qui avait été allumé au milieu de la pièce, et, tout près, un os de gigot dénudé. Des 20 quignons de pain. Quelques arêtes de poisson. Une coquille Saint-Jacques et des pinces de homard.

« Une vraie bombe, quoi! s'extasiait le jeune agent qui n'avait jamais dû faire un pareil festin. Ceci nous a expliqué les plaintes reçues ces derniers temps...[25] Nous n'y avions pas pris 25 garde,[26] parce qu'il ne s'agissait pas d'affaires importantes... Un pain de six livres volé au boulanger... Un panier de merlans disparu d'une barque de pêche... Le gérant du dépôt Prunier qui prétendait qu'on lui chipait[27] des homards pendant la nuit... »

Maigret faisait un étrange calcul mental, essayait d'établir 30 en combien de jours un homme de fort appétit avait pu dévorer ce qui avait été consommé là.

« Une semaine..., murmura-t-il. Oui... Y compris le gigot... »

Il questionna soudain :   35

[25] **ces derniers temps** récemment
[26] **pris garde** fait attention
[27] **chipait** (*populaire*) volait

« Et le chien?...

— Justement! Nous ne l'avons pas retrouvé... Il y a bien des traces de pattes sur le sol, mais nous n'avons pas vu la bête... Vous savez! le maire doit être dans tous ses états,[28] à cause du docteur... Cela m'étonnerait qu'il ne télégraphie pas à Paris, comme il l'a dit...

— Votre homme était armé?...

— Non! c'est moi qui ai fouillé ses poches pendant que mon collègue Piedbœuf, qui tenait les menottes, le mettait en joue[29] de l'autre main... Dans une poche du pantalon, il y avait des marrons grillés... Quatre ou cinq... Cela doit venir de la charrette qui stationne le samedi et le dimanche soir devant le cinéma... Puis quelques pièces de monnaie... Pas même dix francs ... Un couteau... Mais pas un couteau terrible... Un couteau comme ceux dont se servent les marins pour couper leur pain...

— Il n'a pas prononcé un mot?...

— Pas un... Au point que nous avons pensé, mon collègue et moi, qu'il était simple d'esprit, comme l'ancien locataire... Il nous regardait à la façon d'un ours... Il avait une barbe de huit jours, deux dents cassées au beau milieu de[30] la bouche...

— Ses vêtements?...

— Je ne pourrais pas vous dire... Un vieux costume... Je ne sais même plus si, en dessous, il portait une chemise ou un tricot... Il nous a suivis docilement... Nous étions fiers de notre prise... Il aurait pu s'enfuir dix fois avant d'arriver en ville... Si bien que nous étions sans méfiance quand, d'une secousse, il a cassé les chaînes des menottes... J'ai cru que mon poignet droit était arraché... Je porte encore la marque... A propos du[31] docteur Michoux...

— Eh bien?...

— Vous savez que sa mère doit revenir aujourd'hui ou demain ... C'est la veuve d'un député... On dit qu'elle a le bras long...[32] Et elle est l'amie de la femme du maire... »

---

[28] **être dans tous ses états** être très agité
[29] **mettait en joue** visait (*avec son revolver*)
[30] **au beau milieu de** *Ici* beau *renforce* au milieu de (*comparez l'anglais* «right in the middle of»).
[31] **A propos de** Quant à
[32] **elle a le bras long** elle a beaucoup d'influence

Maigret regarda l'océan gris à travers les meurtrières. Des petits bateaux à voile se faufilaient entre la pointe du Cabélou et un écueil que le ressac laissait deviner, viraient de bord[33] et allaient mouiller[34] leurs filets à moins d'un mille.

« Vous croyez vraiment que c'est le docteur qui?...   5
— Partons! » dit le commissaire.

La marée montait. Quand ils sortirent, l'eau commençait à lécher la plate-forme. Un gamin, à cent mètres d'eux, sautait de roche en roche, à la recherche des casiers qu'il avait placés dans les creux. Le jeune agent ne se résignait pas au silence.   10

« Le plus extraordinaire, c'est qu'on se soit attaqué à M. Mostaguen, qui est le meilleur homme de Concarneau... Au point qu'on voulait en faire un conseiller général.... Il paraît qu'il est sauvé, mais que la balle n'a pas pu être extraite... Si bien que toute sa vie il gardera un morceau de plomb dans le   15 ventre!... Quand on pense que sans cette idée d'allumer un cigare... »

Ils ne contournèrent pas les bassins, mais traversèrent une partie du port dans le bac qui fait la navette[35] entre le Passage et la vieille ville.   20

A peu de distance de l'endroit où, la veille, des jeunes gens assaillaient le chien jaune à coups de pierres, Maigret avisa un mur, une porte monumentale surmontée d'un drapeau et des mots : « Gendarmerie Nationale. »

Il traversa la cour d'un immeuble datant de Colbert.[36]   25 Dans un bureau, l'inspecteur Leroy discutait avec un brigadier.

« Le docteur?... questionna Maigret.
— Justement! le brigadier ne voulait rien entendre pour ce qui est de[37] laisser venir les repas du dehors...
— Ou alors, c'est sous votre responsabilité! dit le brigadier   30 à Maigret. Et je vous demanderai une pièce[38] qui me serve de décharge... »

---

[33] **viraient de bord** changeaient de direction
[34] **mouiller** c.-à-d., *laisser tomber*
[35] **fait la navette** va et vient continuellement
[36] **Colbert** (1619–1683) *homme d'état français, ministre sous Louis XIV*
[37] **pour ce qui est de** quant à
[38] **pièce** autorisation

La cour était calme comme un cloître. Une fontaine coulait avec un adorable glouglou.

« Où est-il?...

— Là-bas, à droite... Vous poussez la porte... C'est ensuite la deuxième porte dans le couloir... Voulez-vous que j'aille vous l'ouvrir?... Le maire a téléphoné pour recommander de traiter le prisonnier avec les plus grands égards... »

Maigret se gratta le menton. L'inspecteur Leroy et l'agent de police, qui étaient presque du même âge, le regardaient avec une pareille curiosité timide.

Quelques instants plus tard, le commissaire entrait seul dans un cachot aux murs blanchis à la chaux, qui n'était pas plus triste qu'une chambre de caserne.

Michoux, assis devant une petite table en bois blanc, se leva à son arrivée, hésita un instant, commença en regardant ailleurs :

« Je suppose, commissaire, que vous n'avez joué cette comédie que pour éviter un nouveau drame, en me mettant à l'abri de... des coups de... »

Maigret remarqua qu'on ne lui avait retiré ni ses bretelles, ni son foulard, ni ses lacets, comme c'est la règle. De la pointe du pied, il attira une chaise à lui, s'assit, bourra une pipe et grommela, bonhomme :[39]

« Parbleu!... Mais asseyez-vous donc, docteur!... »

✺ Exercices

I Reprenez les phrases suivantes en employant la préposition *en* et le participe présent.

EX Pendant qu'il courait, le gendarme brandissait son revolver.
> Le gendarme brandissait son revolver en courant.

1 Pendant qu'il se rasait, Maigret regardait par la fenêtre.
2 Pendant qu'il s'avançait, le colosse traînait les pieds dans la boue.
3 Pendant qu'elle pleurait, la femme tendait le poing dans toutes les directions.

[39] **bonhomme** *c.-à-d., avec bonhomie, bienveillance*

4 Pendant qu'il parlait à Maigret, le maire tremblait d'indignation.

5 Pendant qu'elle coulait, la fontaine faisait un adorable glouglou.

. 6 Pendant qu'il bourrait sa pipe, Maigret écoutait le docteur.

II Reprenez selon l'exemple.

EX Il y avait environ douze bouteilles par terre. > Il y avait une douzaine de bouteilles par terre.

1 Au marché il y avait environ cinquante étals.
2 C'était un homme qui avait environ soixante ans.*
3 Environ dix bateaux se dirigeaient vers la sortie du port.
4 Il a vécu là environ quinze ans.*
5 Il y avait environ vingt boîtes à conserve par terre.
6 On entendait sa respiration à environ quinze mètres.

III Transformez les phrases suivantes en utilisant *dont*.

EX Voilà la maison vide. Sa boîte aux lettres a craché une balle de revolver. > Voilà la maison vide dont la boîte aux lettres a craché une balle de revolver.

1 C'est le lieutenant. Ses hommes ont fouillé les maisons voisines.
2 Voilà le couteau de marin. Il s'en servait.
3 C'était un veilleur. Sa mission était de signaler les passages de bateaux.
4 Voici les traces de pattes. L'agent en a parlé.
5 On avait allumé un feu. Ils en regardaient les cendres.
6 L'homme était un colosse. On entendait sa respiration à 15 mètres.

IV Reprenez selon l'exemple.

EX Je suis sorti de l'hôtel. > C'est moi qui suis sorti de l'hôtel.

1 Mon collègue a demandé ses papiers.
2 J'ai fouillé ses poches.

* Employez le mot *années* dans votre réponse.

3 Nous avons pensé qu'il était simple d'esprit.
4 Il avait un couteau.
5 Vous n'avez pas pu le voir.
6 Les agents se sont souvenus du poste.

V Reprenez selon l'exemple.

EX Vos mains sont grosses. Les vôtres sont grosses.

1 Ses mains sont plus grosses.
2 Mes mains sont moins grosses.
3 Nos mains sont assez grosses.
4 Leurs mains sont petites.
5 Tes mains sont sales.
6 Vos mains sont propres.

VI Expliquez en français :

un colosse	le chômage	un bac
une veuve	un chemineau	un cloître
un veilleur	un gigot	une caserne

VII Remarquez que *que* s'emploie quelquefois comme complément d'objet direct après certains verbes (surtout *savoir*) pris négativement et suivis d'un infinitif.

Répétez les phrases suivantes :

Il ne savait que répondre.
Il ne sait que faire.
Ils ne savaient que dire.
Elle ne savait que demander.
Nous ne savons que décider.
Vous ne saviez que penser.

Reprenez les mêmes phrases en remplaçant *que* par *quoi*.

✖ Questions

1 Quels éléments de « couleur locale » trouvez-vous vers le début de ce chapitre?

2 Maigret a vu mais n'a pas pu entendre ce qui s'est passé au marché. Quel est l'intérêt de cette circonstance, du point de vue littéraire?

3 Sur quelles particularités du prisonnier l'auteur insiste-t-il? Pourquoi?

4 Pourquoi Maigret ne semble-t-il pas ému par le spectacle de la fuite du prisonnier?

5 Quelles touches légères l'auteur ajoute-t-il à cette scène dramatique? Pourquoi?

6 Pourquoi le maire s'indigne-t-il contre Maigret?

7 Quel « coup de théâtre » Maigret produit-il?

8 Maigret semble-t-il prendre plaisir à amener cette surprise? Décrivez les réactions du docteur, du maire, d'Emma, et de Leroy?

9 Quelle est l'attitude de Maigret envers le maire? envers les journalistes?

10 Quel est l'intérêt pour Maigret des révélations du jeune agent sur le groupe de l'hôtel de l'Amiral?

11 Trouvez-vous curieux que le colosse ne se soit pas débattu lorsqu'on l'a pris dans le vieux poste de veille?

12 Pourquoi pensez-vous que le prisonnier ne s'est pas enfui avant d'arriver en ville?

13 Le mot « glouglou » appartient à quelle catégorie de mots?

14 Par quels détails l'auteur suggère-t-il l'atmosphère du lieu où l'on tient le docteur enfermé?

Un Lâche

  « Etes-vous superstitieux, commissaire ? »

Maigret, à cheval sur[1] sa chaise, les coudes sur le dossier, esquissa une moue qui pouvait signifier tout ce qu'on voulait. Le docteur ne s'était pas assis.

« Je crois qu'au fond[2] nous le sommes tous à un moment donné[3] ou, si vous préférez, au moment où nous sommes visés... » 5

---

[1] **à cheval sur** *c.-à-d., assis avec le dossier entre les jambes*
[2] **au fond** en réalité
[3] **à un moment donné** à un moment ou à un autre

Il toussa dans son mouchoir qu'il regarda avec inquiétude, poursuivit :

« Il y a huit jours, je vous aurais répondu que je ne croyais pas aux oracles... Et pourtant!... Il y a peut-être cinq ans de cela...[4] Nous étions quelques amis à dîner, chez une comédienne de Paris... Au café, quelqu'un proposa de tirer les cartes...[5] Or, savez-vous ce qu'il m'a annoncé?... Remarquez que j'ai ri!... J'ai ri d'autant plus que cela tranchait[6] avec le refrain habituel : dame blonde, monsieur âgé qui vous veut du bien, lettre qui vient de loin, etc...

« A moi, on a dit :

« —Vous aurez une vilaine mort... Une mort violente... Méfiez-vous des chiens jaunes... »

Ernest Michoux n'avait pas encore regardé le commissaire, sur qui il posa un instant son regard. Maigret était placide. Il était même, énorme sur sa petite chaise, une statue de la placidité.

« Ceci ne vous étonne pas?... Des années durant, je n'ai jamais entendu parler de chien jaune... Vendredi un drame éclate... Un de mes amis en est la victime... J'aurais pu tout aussi bien que lui me réfugier sur ce seuil et être atteint par la balle... Et voilà qu'un chien jaune surgit!

« Un autre ami disparaît dans des circonstances inouïes... Et le chien jaune continue à rôder!...

« Hier, c'est le tour de Le Pommeret... Le chien jaune!... Et vous voudriez que je ne sois pas impressionné?... »

Il n'en avait jamais dit autant d'une haleine et à mesure qu'il parlait il reprenait consistance.[7] Pour tout encouragement, le commissaire soupira :

« Evidemment... Evidemment...

— N'est-ce pas troublant?... Je me rends compte que j'ai dû vous faire l'effet d'un lâche... Eh bien oui! j'ai eu peur... Une peur vague, qui m'a pris à la gorge dès le premier drame, et surtout quand il a été question de chien jaune... »

Il arpentait la cellule à petits pas, en regardant par terre. Son visage s'animait.

---

[4] **de cela** c.-à-d., *depuis l'événement dont Michoux va parler*
[5] **tirer les cartes** prédire l'avenir à l'aide des cartes
[6] **tranchait** contrastait
[7] **à mesure qu'il... consistance** plus il parlait, plus il reprenait consistance

« J'ai failli vous demander votre protection, mais j'ai craint de vous voir sourire... J'ai craint davantage encore votre mépris... Car les hommes forts méprisent les lâches... »

Sa voix devenait pointue.

« Et, je l'avoue, commissaire, je suis un lâche!... Voilà quatre jours que j'ai peur, quatre jours que je souffre de la peur... Ce n'est pas ma faute!... J'ai fait assez de médecine pour me rendre un compte exact de mon cas...

« Quand je suis né, il a fallu me mettre dans une couveuse artificielle... Pendant mon enfance, j'ai collectionné toutes les maladies infantiles...

« Et, lorsque la guerre a éclaté, des médecins qui examinaient cinq cents hommes par jour m'ont déclaré bon pour le service et envoyé au front... Or, non seulement j'avais de la faiblesse pulmonaire avec cicatrices d'anciennes lésions, mais deux ans plus tôt on m'avait enlevé un rein...

« J'ai eu peur!... Peur à en devenir fou!... Des infirmiers m'ont relevé alors que je venais d'être enterré dans un entonnoir par la déflagration d'un obus... Et enfin on s'est aperçu que je n'étais pas apte au service armé...

« Ce que je vous raconte n'est peut-être pas joli... Mais je vous ai observé. J'ai l'impression que vous êtes capable de comprendre...

« C'est facile, le mépris des forts pour les lâches... Encore devrait-on s'inquiéter de connaître les causes profondes de la lâcheté...

« Tenez! J'ai compris que vous regardiez sans sympathie notre groupe du café de l'Amiral. On vous a dit que je m'occupais de vente de terrains... Fils d'un ancien[8] député..., docteur en médecine... Et ces soirées autour d'une table de café, avec d'autres ratés.

« Mais qu'est-ce que j'aurais pu faire?... Mes parents dépensaient beaucoup d'argent et néanmoins ils n'étaient pas riches... Ce n'est pas rare à Paris... J'ai été élevé dans le luxe... Les grandes villes d'eaux... Puis mon père meurt et ma mère commence à

---

[8] **ancien** qui n'est plus en fonction. *Notez que le plus souvent* ancien *mis après le nom veut dire* vieux.

boursicoter, à intriguer, toujours aussi grande dame qu'avant, toujours aussi orgueilleuse, mais harcelée par des créanciers...

« Je l'ai aidée! C'est tout ce dont j'étais capable! Ce lotissement... Rien de prestigieux... Et cette vie d'ici... Des notables! Mais avec quelque chose de pas solide...   5

« Voilà trois jours que vous m'observez et que j'ai envie de vous parler à cœur ouvert... J'ai été marié... Ma femme a demandé le divorce parce qu'elle voulait un homme animé par de plus hautes ambitions...

« Un rein en moins... Trois ou quatre jours par semaine à 10
me traîner, malade, fatigué, de mon lit à un fauteuil... »

Il s'assit avec lassitude.

« Emma a dû vous dire que j'ai été son amant... Bêtement, n'est-ce pas? parce qu'on a parfois besoin d'une femme... On n'explique pas ces choses-là à tout le monde...   15

« Au café de l'Amiral, j'aurais peut-être fini par devenir fou... Le chien jaune... Servières disparu... Les taches de sang dans sa voiture... Et surtout cette mort ignoble de Le Pommeret...

« Pourquoi lui?... Pourquoi pas moi?... Nous étions ensemble deux heures plus tôt, à la même table, devant les 20
mêmes verres... Et moi, j'avais le pressentiment que si je sortais de la maison ce serait mon tour... Puis j'ai senti que le cercle se resserrait, que, même à l'hôtel, même enfermé dans ma chambre, le danger me poursuivait...

« J'ai eu un tressaillement de joie quand je vous ai vu signer 25
mon mandat d'arrêt... Et pourtant... »

Il regarda les murs autour de lui, la fenêtre aux trois barreaux de fer qui s'ouvrait sur la cour.

« Il faudra que je change ma couchette de place, que je la pousse dans ce coin... Comment, oui, comment a-t-on pu me 30
parler d'un chien jaune il y a cinq ans, alors que ce chien-là, sans doute, n'était pas né?... J'ai peur, commissaire! Je vous avoue, je vous crie que j'ai peur!... Peu m'importe ce que penseront les gens en apprenant que je suis en prison... Ce que je ne veux pas, c'est mourir!... Et quelqu'un me guette, quelqu'un que 35
je ne connais pas, qui a déjà tué Le Pommeret, qui a sans doute tué Goyard, qui a tiré sur Mostaguen... Pourquoi?... Dites-le-moi!... Pourquoi?... Un fou probablement... Et on n'a pas encore

pu l'abattre!... Il est libre!... Il rôde peut-être autour de nous...
Il sait que je suis ici... Il viendra, avec son affreux chien qui a
un regard d'homme... »

Maigret se leva lentement, frappa sa pipe contre son talon.
Et le docteur répéta d'une voix piteuse :

« Je sais que je vous fais l'effet d'un lâche... Tenez!... Je
suis sûr de souffrir cette nuit comme un damné, à cause de mon
rein... »

Maigret était campé là comme l'antithèse du prisonnier, de
l'agitation, de la fièvre, de la maladie, l'antithèse de cette frousse
malsaine et écœurante.

« Vous voulez que je vous envoie un médecin?...

— Non!... Si je savais que quelqu'un doive venir, j'aurais
encore plus peur. Je m'attendrais à ce que ce soit *lui* qui vienne,
l'homme au chien, le fou, l'assassin... »

Un peu plus et il claquait[9] des dents.

« Pensez-vous que vous allez l'arrêter, ou l'abattre comme
un animal enragé?... Car il est enragé!... On ne tue pas comme
ça, sans raison... »

Encore trois minutes et ce serait la crise nerveuse. Maigret
préféra sortir, tandis que le détenu le suivait du regard, la tête
rentrée dans les épaules, les paupières rougeâtres.

❧

« Vous m'avez bien compris, brigadier?... Que personne
n'entre dans sa cellule, sauf vous, qui lui porterez vous-même sa
nourriture et tout ce qu'il demandera... Par contre, ne rien
laisser traîner dont il puisse se servir comme arme pour se tuer...
Enlevez-lui ses lacets, sa cravate... Que la cour soit surveillée nuit
et jour... Des égards... Beaucoup d'égards...

— Un homme si distingué! soupira le brigadier de gendarmerie. Vous croyez que c'est lui qui...?

— Qui est la prochaine victime, oui!... Vous me répondez
de sa vie!... »

Et Maigret s'en fut[10] le long de la rue étroite, pataugeant
dans les flaques d'eau. Toute la ville le connaissait déjà. Les

---

[9] **il claquait** c.-à-d., *il aurait claqué*
[10] **s'en fut** s'en alla

rideaux frémissaient à son passage. Des gosses s'arrêtaient de jouer pour le regarder avec un respect craintif.

Il franchissait le pont-levis qui relie la vieille ville à la ville neuve quand il rencontra l'inspecteur Leroy qui le cherchait.

« Du nouveau?... On n'a pas mis la main sur mon ours, au 5 moins?...

— Quel ours?

— L'homme aux grands pieds...

— Non! Le maire a donné l'ordre de cesser les recherches, qui excitaient la population. Il a laissé quelques gendarmes en 10 faction aux endroits stratégiques... Mais ce n'est pas de cela que je veux vous parler... C'est au sujet du journaliste, Goyard, dit Jean Servières... Un voyageur de commerce qui le connaît et qui vient d'arriver affirme l'avoir rencontré hier à Brest... Goyard a feint de ne pas le voir et a détourné la tête... » 15

L'inspecteur s'étonna du calme avec lequel Maigret accueillait cette nouvelle.

« Le maire est persuadé que le voyageur s'est trompé... Des hommes petits et gros, il y en a beaucoup de par[11] les villes... Et savez-vous ce que je lui ai entendu dire à son adjoint, à mi- 20 voix, avec peut-être l'espoir que j'entendrais?... Textuellement :

« — Vous allez voir le commissaire se lancer sur cette fausse piste, partir à Brest et nous laisser le véritable assassin sur le dos!...[12] »

Maigret fit une vingtaine de pas en silence. Sur la place, 25 on démontait les baraques du marché.

« J'ai failli lui répondre que...

— Que quoi?... »

Leroy rougit, détourna la tête.

« Justement! Je ne sais pas... J'ai eu l'impression, moi 30 aussi, que vous n'attachiez pas beaucoup d'importance à la capture du vagabond...

— Comment va Mostaguen?...

— Mieux... Il ne s'explique pas l'agression dont il a été victime... Il a demandé pardon à sa femme... Pardon d'être 35

---

[11] **de par** ça et là dans
[12] **sur le dos** sur les bras (« *on our hands* »)

resté si tard au café !... Pardon de s'être à moitié enivré !... Il a juré en pleurant de ne plus boire une goutte d'alcool... »

Maigret s'était arrêté face au port, à cinquante mètres de l'hôtel de l'Amiral. Des bateaux rentraient, laissaient tomber leur voile brune en contournant le môle, se poussaient lentement à la godille.

Le jusant découvrait, au pied des murailles de la vieille ville, des bancs de vase enchâssés de vieilles casseroles et de détritus.

On devinait le soleil derrière la voûte uniforme de nuages.

« Votre impression, Leroy ?... »

L'inspecteur se troubla davantage.

« Je ne sais pas... Il me semble que si nous tenions cet homme... Remarquez que le chien jaune a encore disparu... Que pouvait-il faire dans la villa du docteur ?... Il devait s'y trouver des poisons... J'en déduis...

— Oui, bien entendu !... Seulement, moi, je ne déduis jamais...

— Je serais quand même curieux de voir le vagabond de près... Les empreintes prouvent que c'est un colosse...

— Justement !...

— Que voulez-vous dire ?...

— Rien !... »

Maigret ne bougeait pas, semblait ravi de contempler le panorama du petit port, la pointe du Cabélou, à gauche, avec son bois de sapins et ses avancées rocheuses, la balise rouge et noire, les bouées écarlates marquant la passe jusqu'aux îles Glénan que la grisaille ne permettait pas d'apercevoir.

L'inspecteur avait encore bien des choses à dire.

« J'ai téléphoné à Paris, afin d'avoir des renseignements sur Goyard, qui y a vécu longtemps... »

Maigret le regarda avec une affectueuse ironie et Leroy, piqué au vif, récita très vite :

« Les renseignements sont très bons ou très mauvais... J'ai eu au bout du fil un ancien brigadier de la Mondaine[13] qui l'a connu personnellement... Il paraît qu'il a évolué longtemps dans

---

[13] la Mondaine la Brigade des mœurs (« *vice squad* »)

86

les à-côtés du journalisme... D'abord échotier...[14] Puis secrétaire général d'un petit théâtre... Puis directeur d'un cabaret de
Montmartre... Deux faillites... Rédacteur en chef, pendant deux
ans, d'une feuille de province, à Nevers je crois... Enfin il est à
la tête d'une boîte de nuit... *Quelqu'un qui sait nager*...[15] Ce sont
les termes dont le brigadier s'est servi... Il est vrai qu'il a ajouté :
un bon bougre; quand il s'est aperçu qu'il n'arriverait en fin de compte[16]
qu'à manger ses quatre sous[17] *ou se créer des histoires,*[18] *il a préféré*
replonger dans la province...

— Alors?...

— Alors je me demande pourquoi il a feint cette agression...
Car j'ai revu l'auto... Il y a des taches de sang, des vraies... Et
s'il y a eu attaque, pourquoi ne pas donner signe de vie, puisque
maintenant il se promène à Brest?...

— Très bien!... »

L'inspecteur regarda vivement Maigret pour savoir si celui-
ci ne plaisantait pas. Mais non! Le commissaire était grave, le
regard rivé à une tache de soleil qui naissait au loin sur la mer.

« Quant à Le Pommeret...

— Vous avez des tuyaux?...

— Son frère est venu à l'hôtel pour vous parler... Il n'avait
pas le temps d'attendre... Il m'a dit pis que pendre[19] du mort...
Du moins dans son esprit est-ce très grave : un fainéant...
Deux passions : les femmes et la chasse... Plus la manie de faire
des dettes et de jouer au grand seigneur... Un détail entre cent.
Le frère, qui est à peu près le plus gros industriel de l'endroit,
m'a déclaré :

« — Moi, je me contente de m'habiller à Brest... Ce n'est
pas luxueux, mais c'est solide, confortable... Yves allait à Paris
commander ses vêtements... Et il lui fallait des chaussures signées
d'un grand bottier!... Ma femme elle-même ne porte pas de souliers sur mesure... »

---

[14] **échotier** *journaliste qui recueille des renseignements indiscrets sur la vie des personnes en vue*
[15] **nager** (*familier*) se débrouiller
[16] **en fin de compte** finalement
[17] **manger ses quatre sous** dépenser son peu de fortune
[18] **se créer des histoires** s'attirer des ennuis
[19] **pis que pendre** le plus grand mal

— Crevant!... fit Maigret au grand ahurissement, sinon à l'indignation de son compagnon.

— Pourquoi?

— Magnifique, si vous préférez! Selon votre expression de tout à l'heure, c'est un vrai plongeon dans la vie provinciale que nous faisons! Et c'est beau comme l'antique![20] Savoir si Le Pommeret portait des chaussures toutes faites ou des chaussures sur mesure!... Cela n'a l'air de rien... Eh bien, vous me croirez si vous voulez, mais c'est tout le nœud du drame... Allons prendre l'apéritif, Leroy!... Comme ces gens le prenaient tous les jours... au café de l'Amiral!... »

L'inspecteur observa une fois de plus son chef en se demandant si celui-ci n'était pas en train de se payer sa tête.[21] Il avait espéré des félicitations pour son activité de la matinée et pour ses initiatives.

Et Maigret avait l'air de prendre tout cela à la blague![22]

Il y eut les mêmes remous que quand le professeur entre dans une classe de lycée où les élèves bavardent. Les conversations cessèrent. Les journalistes se précipitèrent au-devant du[23] commissaire.

« On peut annoncer l'arrestation du docteur? Est-ce qu'il a fait des aveux?...

— Rien du tout!... »

Maigret les écartait du geste, lançait à Emma :

« Deux Pernods, mon petit...

— Mais enfin, si vous avez arrêté M. Michoux...

— Vous voulez savoir la vérité?... »

Ils avaient déjà leur bloc-notes à la main. Ils attendaient, stylo en bataille.

« Eh bien, il n'y a pas encore de vérité... Peut-être y en aura-t-il une un jour... Peut-être pas...

— On prétend que Jean Goyard...

— Est.vivant! Tant mieux pour lui!

[20] **l'antique** c.-à-d., les œuvres d'art de l'antiquité (*Maigret parle ironiquement.*)
[21] **se payer sa tête** se moquer de lui
[22] **à la blague** à la légère
[23] **au-devant de** à la rencontre de

« — N'empêche qu'il y a un homme qui se cache, qu'on pour-chasse en vain...

— Ce qui prouve l'infériorité du chasseur sur le gibier!... »

Et Maigret, retenant Emma par la manche, dit doucement :

« Tu me feras servir à déjeuner dans ma chambre... »

Il but son apéritif d'un trait,[24] se leva.

« Un bon conseil, messieurs! Pas de conclusions préma-turées! Et surtout pas de déductions...

— Mais le coupable?... »

Il haussa ses larges épaules, souffla :

« Qui sait?... »

Il était déjà au pied de l'escalier. L'inspecteur Leroy lui lançait un coup d'œil interrogateur.

« Non, mon vieux... Mangez à la table d'hôte... J'ai besoin de me reposer... »

On l'entendit gravir les marches à pas lourds. Dix minutes plus tard, Emma monta à son tour avec un plateau garni de hors-d'œuvre.

Puis on la vit porter une coquille Saint-Jacques, un rôti de veau et des épinards.

Dans la salle à manger, la conversation languissait. Un des journalistes fut appelé au téléphone et déclara :

« Vers quatre heures, oui!... J'espère vous donner un papier sensationnel... Pas encore! Il faut attendre... »

Tout seul à une table, Leroy mangeait avec des manières de garçon bien élevé, s'essuyant à chaque instant les lèvres du coin de sa serviette.

Les gens du marché observaient la façade du café de l'Amiral, espérant confusément qu'il s'y passerait quelque chose.

Un gendarme était adossé à l'angle de la ruelle par où le vagabond avait disparu.

« M. le maire demande le commissaire Maigret au télé-phone! »

Leroy s'agita, ordonna à Emma :

« Allez le prévenir là-haut... »

Mais la fille de salle revint en déclarant :

« Il n'y est plus!... »

[24] d'un trait d'une seule gorgée

L'inspecteur grimpa l'escalier quatre à quatre, revint tout pâle, saisit le cornet.

« Allô!... Oui, monsieur le maire!... Je ne sais pas... Je... Je suis très inquiet... Le commissaire n'est plus ici... Allô!... Non! Je ne puis rien vous dire... Il a déjeuné dans sa chambre... 5 Je ne l'ai pas vu descendre... Je... je vous téléphonerai tout à l'heure... »

Et Leroy, qui n'avait pas lâché sa serviette, s'en servit pour s'essuyer le front.

❧ Exercices

I Reprenez selon l'exemple.

EX S'il sort de la maison, on le tuera. > S'il sortait de la maison, on le tuerait.

1 S'il sait que quelqu'un doive venir, il aura peur.
2 Si le chien jaune revient, on l'abattra.
3 Si sa femme le gronde, il demandera pardon.
4 S'il faut téléphoner à Paris, Leroy le fera.
5 S'il a besoin de souliers, il les commandera à Paris.
6 S'il fait des aveux, je vous le dirai.

II Transformez selon l'exemple.

EX Je vous dis de vous asseoir. > Asseyez-vous.

1 Je vous dis de me le dire.
2 Je vous dis de vous méfier des chiens jaunes.
3 Je vous dis d'avoir pitié de moi.
4 Je vous dis de lui porter sa nourriture.
5 Je vous dis de lui enlever ses lacets.
6 Je vous dis d'être calme.

Refaites l'exercice à la deuxième personne du singulier.

III Répondez selon l'exemple.

EX Est-ce qu'on a arrêté des suspects? > Non, on n'a arrêté aucun suspect.

1 Est-ce que Maigret fait des déductions?
2 Est-ce que les journalistes ont pris des notes?
3 Est-ce que le docteur a raconté des plaisanteries?
4 Est-ce que le docteur voulait un médecin?
5 Est-ce que le docteur a fait des aveux?
6 Est-ce que le docteur avait des ambitions?

IV Reprenez en utilisant la locution *être en train de* (faire quelque chose).

EX Le docteur parle. > Il est en train de parler.

1 Maigret parle au brigadier.
2 Leroy cherche Maigret.
3 On démonte les baraques du marché.
4 Maigret contemple le petit port.
5 Les deux hommes prennent l'apéritif.
6 Les gens du marché observent la façade du café.

Refaites cet exercice à l'imparfait de l'indicatif.

V Transformez selon l'exemple, en employant *après* et l'infinitif passé.

EX Maigret est entré. Il s'est assis. > Après être entré, Maigret s'est assis.

1 Le docteur a toussé dans son mouchoir. Il le regarde avec inquiétude.
2 Maigret est sorti de la chambre. Il a donné des ordres au brigadier.
3 Leroy a pris des initiatives. Il espérait des félicitations.
4 Mostaguen s'était enivré. Il a demandé pardon à sa femme.
5 Maigret est entré dans le café. Il a parlé avec les journalistes.
6 Leroy a grimpé l'escalier quatre à quatre. Il revient tout pâle.

VI Remarquez l'usage du verbe *avoir* dans les phrases suivantes.

1 Le docteur a peur du chien jaune.
2 Le docteur a honte de sa lâcheté.

3 Maigret avait envie de s'en aller.
4 Le maire n'a pas confiance en Maigret.
5 Le docteur n'a pas eu de chance.
6 Qu'est-ce qu'il a?
7 Qu'y a-t-il?

Faites des phrases originales en utilisant ces expressions :

avoir peur (de)   avoir faim
avoir honte (de)   avoir soif
avoir envie (de)   avoir chaud
avoir confiance (en)   avoir froid
avoir de la chance   avoir sommeil
avoir quelque chose (*to be the matter*)

ᐑ Questions

1 Que dit le docteur au sujet de la superstition?
2 Comment essaie-t-il d'expliquer pourquoi il est lâche?
3 Est-ce que vous êtes convaincu par le ton de ses discours qu'il parle sincèrement? Expliquez pourquoi.
4 Par quels détails l'auteur indique-t-il l'agitation du docteur?
5 Pourquoi le docteur choisit-il de révéler tant de détails personnels à Maigret?
6 Quelle attitude Maigret conserve-t-il pendant que le docteur lui parle?
7 Pour quelles raisons le docteur est-il inquiet? Quelle place le chien jaune occupe-t-il dans son inquiétude?
8 Quel aperçu de sa mère le docteur nous donne-t-il?
9 Quel est l'intérêt de la nouvelle apportée par Leroy concernant Goyard?
10 Que comprenez-vous par la phrase de Maigret « Je ne déduis jamais »? Est-ce vrai?
11 Maigret semble-t-il être déjà arrivé à certaines conclusions? A quel sujet?
12 Leroy comprend-il mieux Maigret maintenant qu'auparavant?
13 Quel est le nœud du drame, selon Maigret? Pouvons-nous deviner ce qu'il veut dire par cela?
14 Par quel « coup de théâtre » se termine le chapitre? Quel est le but de l'auteur en utilisant ce procédé littéraire?

Le Couple à la bougie

❧ L'inspecteur ne monta chez lui qu'une demi-heure plus tard. Sur la table, il trouva un billet couvert de caractères morses qui disait :

Montez ce soir vers onze heures sur le toit, sans être vu. Vous m'y 5
trouverez. Pas de bruit. Soyez armé. Dites que je suis parti à Brest d'où
je vous ai téléphoné. Ne quittez pas l'hôtel.

MAIGRET

Un peu avant onze heures, Leroy retira ses chaussures, mit 10 des chaussons de feutre qu'il avait achetés l'après-midi en vue de cette expédition qui n'était pas sans l'impressionner.

Après le second étage, il n'y avait plus d'escalier, mais une échelle fixe que surmontait une trappe dans le plafond. Au-delà, c'était un grenier glacé par les courants d'air, où l'inspecteur se risqua à frotter une allumette.

Quelques instants plus tard, il franchissait la lucarne, mais n'osait pas tout de suite descendre vers la corniche. Tout était froid. Au contact des plaques de zinc, les doigts se figeaient. Et Leroy n'avait pas voulu s'encombrer d'un pardessus.

Quand ses yeux se furent accoutumés à l'obscurité, il crut distinguer une masse sombre, trapue, comme un énorme animal à l'affût. Ses narines reconnurent des bouffées de pipe. Il siffla légèrement.

L'instant d'après, il était tapi sur la corniche à côté de Maigret. On ne voyait ni la mer ni la ville. On se trouvait sur le versant du toit opposé au quai, au bord d'une tranchée noire qui n'était autre que la fameuse ruelle par où le vagabond aux grands pieds s'était échappé.

Tous les plans étaient irréguliers. Il y avait des toits très bas et d'autres à la hauteur des deux hommes. Des fenêtres étaient éclairées, par-ci, par-là. Certaines avaient des stores sur lesquels se jouaient comme des pièces d'ombres chinoises.[1] Dans une chambre, assez loin, une femme lavait un tout jeune bébé dans un bassin émaillé.

La masse du commissaire bougea, rampa plutôt, jusqu'à ce que sa bouche fût collée à l'oreille de son compagnon.

« Attention! Pas de mouvements brusques. La corniche n'est pas solide et il y a en dessous de nous un tuyau de gouttière qui ne demande qu'à dégringoler avec fracas... Les journalistes?

— Ils sont en bas, sauf un qui vous cherche à Brest, persuadé que vous suivez la piste Goyard...

— Emma?...

— Je ne sais pas... Je n'ai pas pris garde à elle... C'est elle qui m'a servi le café après dîner. »

C'était déroutant de se trouver ainsi, à l'insu de tous, au-

[1] **des pièces d'ombres chinoises** *des spectacles où des silhouettes sont projetées sur un écran*

dessus d'une maison pleine de vie, de gens qui circulaient dans la chaleur, dans la lumière, sans avoir besoin de parler bas.

« Bon… Tournez-vous doucement vers l'immeuble à vendre… Doucement!… »

C'était la deuxième maison à droite, une des rares à égaler l'hôtel en hauteur. Elle se trouvait dans un pan d'obscurité complète et pourtant l'inspecteur eut l'impression qu'une lueur se reflétait sur une vitre sans rideau du second étage.

Petit à petit, il s'aperçut que ce n'était pas un reflet venu du dehors, mais une faible lumière intérieure. A mesure qu'il fixait le même point de l'espace, des choses y naissaient.

Un plancher ciré… Une bougie à demi brûlée dont la flamme était toute droite, entourée d'un halo…

« Il est là, dit-il soudain en élevant le ton malgré lui.

— Chut!… Oui… »

Quelqu'un était couché à même le parquet,² moitié dans la partie éclairée par la bougie, moitié dans la pénombre. On voyait un soulier énorme, un torse large moulé dans un tricot de marin.

Leroy savait qu'il y avait un gendarme au bout de la ruelle, un autre sur la place, un autre encore qui faisait les cent pas³ sur le quai.

« Vous voulez l'arrêter?…

— Je ne sais pas. Voilà trois heures qu'il dort.

— Il est armé?…

— Il ne l'était pas ce matin… »

On devinait à peine les syllabes prononcées. C'était un murmure indistinct, mêlé au souffle des respirations.

« Qu'attendons-nous?…

— Je l'ignore… Je voudrais bien savoir pourquoi, alors qu'il est traqué et qu'il dort, il a allumé une bougie… Attention!… »

Un carré jaune venait de naître sur un mur.

« On a fait de la lumière dans la chambre d'Emma, en dessous de nous… C'est le reflet…

— Vous n'avez pas dîné, commissaire?…

---

² **à même le parquet** sur le parquet nu
³ **qui faisait les cent pas** qui allait et venait

— J'avais emporté du pain et du saucisson... Vous n'avez pas froid?... »

Ils étaient gelés tous les deux. Dans le ciel, ils voyaient passer le rayon lumineux du phare à intervalles réguliers.

« Elle a éteint...

— Oui... Chut!... »

Il y eut cinq minutes de silence, de morne attente. Puis la main de Leroy chercha celle de Maigret, la serra d'une façon significative.

« En bas...

— J'ai vu... »

Une ombre, sur le mur crépi à la chaux qui séparait le jardin de la maison vide et la ruelle.

« Elle va le retrouver... », souffla Leroy qui ne pouvait se résigner au silence.

Là-haut, l'homme dormait toujours, près de sa bougie. Un groseillier fut froissé dans le jardin. Un chat s'enfuit le long d'une gouttière.

« Vous n'avez pas un briquet à mèche d'amadou? »

Maigret n'osait pas rallumer sa pipe. Il hésita longtemps. Il finit par se faire un écran avec le veston de son compagnon et il frotta vivement une allumette tandis que l'inspecteur reniflait à nouveau l'odeur chaude de tabac.

« Regardez!... »

Ils ne dirent plus rien. L'homme se levait d'un mouvement si soudain qu'il faillit renverser la bougie. Il reculait vers l'ombre, tandis que la porte s'ouvrait, qu'Emma apparaissait dans la lumière, hésitante, si piteuse qu'elle donnait l'impression d'une coupable.

Elle avait quelque chose sous le bras : une bouteille et un paquet qu'elle posa par terre. Le papier se défit en partie, laissa voir un poulet rôti.

Elle parlait. Ses lèvres remuaient. Elle ne disait que quelques mots, humblement, tristement. Mais son compagnon n'était pas visible pour les policiers.

Est-ce qu'elle ne pleurait pas? Elle portait sa robe noire de fille de salle, la coiffe bretonne. Elle n'avait retiré que son tablier blanc et cela lui donnait une allure plus déjetée que d'habitude.

Oui! Elle devait pleurer en parlant... En prononçant des mots espacés. Et, la preuve, c'est qu'elle s'appuyait soudain au chambranle de la porte, enfouissait le visage dans son bras replié. Son dos se soulevait à une cadence irrégulière.

L'homme, en surgissant, noircit presque tout le rectangle de la fenêtre, dégagea ensuite la perspective en s'avançant vers le fond de la pièce. Sa grosse main s'abattit sur l'épaule de la fille, lui imprima une secousse telle qu'Emma fit une volte complète, faillit tomber, montra une pauvre face blême, des lèvres gonflées par les sanglots.

Mais c'était aussi imprécis, aussi flou qu'un film projeté quand les lampes de la salle sont rallumées. Et il manquait autre chose : les bruits, les voix...

Toujours comme du cinéma : du cinéma sans musique.

Et pourtant c'était l'homme qui parlait. Il devait parler fort. C'était un ours. La tête rentrée dans les épaules, le torse moulé par son chandail qui faisait saillir les pectoraux, ses cheveux coupés ras comme ceux d'un forçat, les poings aux hanches, il criait des reproches, ou des injures, ou encore des menaces.

Il devait être prêt à frapper. A tel point que Leroy chercha à toucher Maigret davantage, comme pour se rassurer.

Emma pleurait toujours. Son bonnet, maintenant, était de travers. Son chignon allait tomber. Une fenêtre se ferma quelque part et apporta une diversion d'une seconde.

« Commissaire... est-ce que nous... »

L'odeur de tabac enveloppait les deux hommes et leur donnait une illusion de tiédeur.

Pourquoi Emma joignait-elle les mains?... Elle parlait à nouveau... Son visage était déformé par une trouble expression d'effroi, de prière, de douleur, et l'inspecteur Leroy entendit Maigret qui armait son revolver.

Il n'y avait que quinze à vingt mètres entre les deux groupes. Un claquement sec, une vitre qui volerait en éclats et le colosse serait hors d'état de nuire.

Il marchait maintenant de long en large, les mains derrière le dos, semblait plus court, plus large. Son pied heurta le poulet. Il faillit glisser et il l'envoya rageusement rouler dans l'ombre.

Emma regarda de ce côté.

Que pouvaient-ils bien dire tous les deux? Quel était le leitmotiv de ce dialogue pathétique?

Car l'homme semblait répéter les mêmes mots! Mais ne les répétait-il pas plus mollement?...

Elle tomba à genoux, s'y jeta plutôt, sur son passage, et 5 tendit les bras vers lui. Il feignit de ne pas la voir, l'évita, et elle ne fut plus à genoux, mais presque couchée, un bras implorant.

Tantôt on voyait l'homme, tantôt l'ombre l'absorbait. Quand il revint, il se dressa devant la fille suppliante qu'il regarda de haut en bas. 10

Il se remit à marcher, s'approcha, s'éloigna encore et alors elle n'eut plus la force, ou le courage, d'étendre son bras vers lui, de supplier. Elle se laissa aller sur le plancher de tout son long. La bouteille de vin était à moins de vingt centimètres de sa main.

Ce fut inattendu. Le vagabond se pencha, baissa plutôt une 15 de ses lourdes pattes, saisit le vêtement à l'épaule, et, d'un seul mouvement, mit Emma debout. Tout cela si brutalement qu'elle vacilla quand elle ne fut plus maintenue.

Et pourtant, son visage défait ne trahissait-il pas un espoir? Le chignon était tombé. Le bonnet blanc traînait par terre. 20

L'homme marchait. Deux fois, il évita sa compagne désemparée.

La troisième fois, il la prit dans ses bras, il l'écrasa contre lui, lui renversa la tête. Et goulûment il colla ses lèvres aux siennes.

On ne voyait plus que son dos à lui, un dos inhumain, avec 25 une petite main de femme crispée sur son épaule.

De ses gros doigts, la brute éprouvait le besoin, sans dessouder leurs lèvres, de caresser les cheveux qui pendaient, de les caresser comme s'il eût voulu anéantir sa compagne, l'écraser, mieux : se l'incorporer. 30

« Par exemple!... » fit la voix chavirée de l'inspecteur.

Et Maigret avait été tellement empoigné qu'il faillit, par contrecoup, éclater de rire.

❧

35

Y avait-il un quart d'heure qu'Emma était là? L'étreinte avait cessé. La bougie n'en avait plus que pour cinq minutes. Et il y avait dans l'atmosphère une détente presque visible.

Est-ce que la fille de salle ne riait pas? Elle avait dû trouver quelque part un bout de miroir. En pleine lumière, on la voyait rouler ses longs cheveux, les fixer d'une épingle, chercher par terre une autre épingle qu'elle avait perdue, la tenir entre ses dents pendant qu'elle posait son bonnet.

Elle était presque belle. Elle était belle! Tout était émouvant, même sa taille plate, sa jupe noire, ses paupières rouges. L'homme avait ramassé le poulet. Et, sans la perdre de vue, il y mordait avec appétit, faisait craquer les os, arrachait des lambeaux de chair.

Il chercha un couteau dans sa poche, n'en trouva pas, cassa le goulot de la bouteille en le frappant sur son talon. Il but. Il voulut faire boire Emma, qui tenta de refuser, en riant. Peut-être le verre cassé lui faisait-il peur? Mais il l'obligea à ouvrir la bouche, versa tout doucement le liquide.

Elle s'étrangla, toussa. Alors il la prit par les épaules, l'embrassa encore, mais non plus sur les lèvres. Il l'embrassait gaiement, à petits coups, sur les joues, sur les yeux, sur le front et même sur son bonnet de dentelle.

Elle était prête. Il vint coller son visage à la fenêtre et une fois encore il emplit presque en entier le rectangle lumineux. Quand il se retourna, ce fut pour éteindre la bougie.

L'inspecteur Leroy était crispé.

« Ils s'en vont ensemble...

— Ils se feront prendre... »

Le groseillier du jardin trembla. Puis une forme fut hissée au sommet du mur. Emma se trouva dans l'impasse, attendit son amant.

« Tu vas les suivre, de loin... Surtout qu'à aucun moment ils ne t'aperçoivent!... Tu me donneras des nouvelles quand tu pourras... »

Comme le vagabond l'avait fait pour sa compagne, Maigret aidait l'inspecteur à se hisser le long des ardoises jusqu'à la lucarne. Puis il se penchait pour regarder l'impasse, où les deux personnages n'étaient plus que des têtes.

Ils hésitaient. Ils chuchotaient. Ce fut la fille de salle qui entraîna l'homme vers une sorte de remise dans laquelle ils disparurent, car la porte n'était fermée que par un loquet.

C'était la remise du marchand de cordages. Elle communiquait avec le magasin, où, à cette heure, il n'y avait personne. Une serrure à forcer et le couple atteindrait le quai.

Mais Leroy y serait avant lui.

Dès qu'il eut descendu l'échelle du grenier, le commissaire comprit qu'il se passait quelque chose d'anormal. Il entendit une rumeur dans l'hôtel. En bas, le téléphone fonctionnait au milieu des éclats de voix.

Y compris la voix de Leroy, qui devait parler à l'appareil, car il élevait considérablement le ton.

Maigret dégringola l'escalier, arriva au rez-de-chaussée, se heurta à un journaliste.

« Eh bien?...

— Un nouveau meurtre... Il y a un quart d'heure... En ville... Le blessé a été transporté à la pharmacie... »

Le commissaire se précipita d'abord sur le quai, vit un gendarme qui courait en brandissant son revolver. Rarement le ciel avait été aussi noir. Maigret rejoignit l'homme.

« Que se passe-t-il?...

— Un couple qui vient de sortir du magasin... Je faisais les cent pas en face... L'homme m'est presque tombé dans les bras... Ce n'est plus la peine de courir... Ils doivent être loin!...

— Expliquez!

— J'entendais du bruit dans la boutique, où il n'y avait pas de lumière... Je guettais, l'arme au poing... La porte s'est ouverte... Un type est sorti... Mais je n'ai pas eu le temps de le mettre en joue... Il m'a donné un tel coup de poing au visage que j'ai roulé par terre... J'ai lâché mon revolver... Je n'avais qu'une peur, c'est qu'il s'en saisît... Mais non!... Il est allé chercher une femme qui attendait sur le seuil... Elle ne pouvait pas courir... Il l'a prise dans ses bras... Le temps de me relever, commissaire... Un coup de poing comme celui-là... Voyez!... Je saigne... Ils ont longé le quai... Ils ont dû faire le tour du bassin... Par là, il y a des tas de petites rues, puis la campagne... »

Le gendarme se tamponnait le nez de son mouchoir.

« Il aurait pu me tuer tout comme!...⁴ Son poing est un marteau... »

On entendait toujours des éclats de voix du côté de l'hôtel, dont les fenêtres étaient éclairées. Maigret quitta le gendarme, tourna l'angle, vit la pharmacie dont les volets étaient clos, mais dont la porte ouverte laissait échapper un flot de lumière.

Une vingtaine de personnes formaient grappe devant cette porte. Le commissaire les écarta à coups de coude.

Dans l'officine, un homme étendu à même le sol poussait des gémissements rythmés en fixant le plafond.

La femme du pharmacien, en chemise de nuit, faisait plus de bruit à elle seule que tout le monde réuni.

Et le pharmacien lui-même, qui avait passé un veston sur son pyjama, s'affolait, remuait des fioles, déchirait de grands paquets de coton hydrophile.

« Qui est-ce? » questionna Maigret.

Il n'attendit pas la réponse, car il avait reconnu l'uniforme de douanier, dont on avait lacéré une jambe du pantalon. Et maintenant il reconnaissait le visage.

C'était le douanier qui, le vendredi précédent, était de garde dans le port et avait assisté de loin au drame dont Mostaguen avait été victime.

Un docteur arrivait, affairé, regardait le blessé, puis Maigret, s'écriait :

« Qu'est-ce qu'il y a encore?... »

Un peu de sang coulait par terre. Le pharmacien avait lavé la jambe du douanier à l'eau oxygénée qui formait des traînées de mousse rose.

Un homme racontait, dehors, peut-être pour la dixième fois, d'une voix qui n'en restait pas moins haletante :

« J'étais couché avec ma femme quand j'ai entendu un bruit qui ressemblait à un coup de feu, puis un cri... Puis plus rien, peut-être pendant cinq minutes!... Je n'osais pas me rendormir... Ma femme voulait que j'aille voir... Alors on a perçu des gémissements qui avaient l'air de venir du trottoir, tout contre notre porte... Je l'ai ouverte... J'étais armé... J'ai vu une forme

---

⁴ **tout comme** tout aussi bien (c.-à-d., *facilement*)

sombre... J'ai reconnu l'uniforme... Je me suis mis à crier, pour éveiller les voisins, et le marchand de fruits qui a une auto m'a aidé à amener le blessé ici...

— A quelle heure le coup de feu a-t-il éclaté?...

— Il y a juste une demi-heure... »   5

C'est-à-dire au moment le plus émouvant de la scène entre Emma et l'homme aux empreintes!...

« Où habitez-vous?...

— Je suis le voilier... Vous êtes passé dix fois devant chez moi... A droite du port... Plus loin que la halle aux poissons... 10 Ma maison fait l'angle du quai et d'une petite rue... Après, les constructions s'espacent et il n'y a plus guère que des villas... »

Quatre hommes transportaient le blessé dans une pièce du fond où ils l'étendaient sur un canapé. Le docteur donnait des ordres. On entendait dehors la voix du maire qui 15 questionnait :

« Le commissaire est ici?... »

Maigret alla au-devant de lui, les deux mains dans les poches.

« Vous avouerez, commissaire... »

Mais le regard de son interlocuteur était si froid que le maire 20 perdit un instant contenance.

« C'est notre homme qui a fait le coup, n'est-ce pas?

— Non!

— Qu'en savez-vous?...

— Je le sais parce que, au moment où le crime a été commis, 25 je le voyais à peu près aussi bien que je vous vois...

— Et vous ne l'avez pas arrêté?

— Non!

— On me parle aussi d'un gendarme assailli...

— C'est exact.   30

— Vous rendez-vous compte des répercussions que de pareils drames peuvent avoir?... Enfin! c'est depuis que vous êtes ici que... »

Maigret décrochait le récepteur du téléphone.

« Donnez-moi la gendarmerie, mademoiselle... Oui... 35 Merci... Allô! la gendarmerie?... C'est le brigadier lui-même?... Allô! Ici, le commissaire Maigret... Le docteur Michoux est toujours là, bien entendu?... Vous dites?... Oui, allez vous en assurer quand même… Comment?… Il y a un homme de garde dans la cour?… Très bien… J'attends…

— Vous croyez que c'est le docteur qui…?

— Rien du tout! Je ne crois jamais rien, monsieur le maire!… Allô!… Oui!… Il n'a pas bougé?… Merci… Vous dites qu'il 5 dort?… Très bien… Allô! Non! Rien de spécial… »

Des gémissements arrivaient de la pièce du fond d'où une voix ne tarda pas à appeler :

« Commissaire… »

C'était le médecin, qui essuyait ses mains encore savonneuses 10 à une serviette.

« Vous pouvez l'interroger… La balle n'a fait qu'effleurer le mollet… Il a eu plus de peur que de mal… Il faut dire aussi que l'hémorragie a été assez forte… »

Le douanier avait les larmes aux yeux. Il rougit quand le 15 docteur poursuivit :

« Tout son effroi vient de ce qu'il croyait qu'on lui couperait la jambe… Alors que dans huit jours il n'y paraîtra plus!… »[5]

Le maire était debout dans l'encadrement de la porte.

« Racontez-moi comment c'est arrivé! dit doucement 20 Maigret en s'asseyant au bord du canapé. Ne craignez rien… Vous avez entendu ce qu'a dit le docteur…

— Je ne sais pas…

— Mais encore?…

— Aujourd'hui, je finissais ma faction à dix heures… J'habite 25 un peu plus loin que l'endroit où j'ai été blessé…

— Vous n'êtes donc pas rentré chez vous directement?…

— Non! J'ai vu qu'il y avait encore de la lumière au café de l'Amiral… J'ai eu envie de savoir où les choses en étaient…[6] Je vous jure que ma jambe me brûle!… 30

— Mais non! Mais non! affirma le médecin.

— Puisque je vous dis que… Enfin! du moment que[7] ce n'est rien!… J'ai bu un demi au café… Il y avait seulement des journalistes et je n'ai même pas osé les questionner…

— Qui vous a servi?… 35

---

[5] **il n'y paraîtra plus** c.-à-d., *aucune trace de sa blessure ne restera*
[6] **où les choses en étaient** c.-à-d., *si on avait appris quelque chose de nouveau*
[7] **du moment que** *puisque*

— Une femme de chambre, je crois... Je n'ai pas vu Emma.

— Ensuite?...

— J'ai voulu rentrer chez moi... Je suis passé devant le corps de garde où j'ai allumé ma cigarette à la pipe de mon collègue... J'ai suivi les quais... J'ai tourné à droite... Il n'y avait personne... La mer était assez belle... Tout à coup, comme je venais à peine de dépasser un coin de rue, j'ai senti une douleur à la jambe, avant même d'entendre le bruit d'une détonation... C'était comme le choc d'un pavé que j'aurais reçu en plein mollet... Je suis tombé... J'ai voulu me relever... Quelqu'un courait... Ma main a rencontré un liquide chaud et, je ne sais pas comment cela s'est fait, mais j'ai tourné de l'œil...[8] J'ai cru que j'étais mort...

« Quand je suis revenu à moi, le fruitier du coin ouvrait sa porte et n'osait pas avancer...

« C'est tout ce que je sais.

— Vous n'avez pas vu la personne qui a tiré?...

— Je n'ai rien vu... Cela ne se passe pas comme on croit... Le temps de tomber... Et surtout, quand j'ai retiré ma main pleine de sang...

— Vous ne vous connaissez pas d'ennemi?...

— Même pas!... Il n'y a que deux ans que je suis ici... Je suis originaire de l'intérieur du pays... Et je n'ai jamais eu l'occasion de voir des contrebandiers...

— Vous rentrez toujours chez vous par ce chemin?...

— Non!... C'est le plus long... Mais je n'avais pas d'allumettes et je suis allé au corps de garde tout exprès pour allumer ma cigarette... Alors, au lieu de prendre par la ville, j'ai suivi les quais...

— C'est plus court par la ville?...

— Un peu...

— Si bien que quelqu'un qui vous aurait vu sortir du café et gagner les quais aurait eu le temps d'aller se mettre en embuscade?...

— Sûrement... Mais pourquoi?... Je n'ai jamais d'argent sur moi... On n'a pas essayé de me voler...

[8] **j'ai tourné de l'œil** je me suis évanoui

— Vous êtes certain, commissaire, que vous n'avez pas cessé de voir *votre* vagabond pendant toute la soirée?... »

Il y avait quelque chose de pointu dans la voix du maire. Leroy entrait, un papier à la main.

« Un télégramme, que la poste vient de téléphoner à l'hôtel... C'est de Paris... » 5

Et Maigret lut :

Sûreté Générale à commissaire Maigret, Concarneau.

Joan Goyard, dit Servières, dont avez envoyé signalement, arrêté 10 *ce lundi soir huit heures hôtel Bellevue, rue Lepic, à Paris, au moment où s'installait chambre 15. A avoué être arrivé de Brest par train de six heures. Proteste innocence et demande être interrogé sur le fond en présence avocat. Attendons instructions.*

∽ Exercices

I Remplacez *commencer à* par *se mettre à*.

EX Elle commence à pleurer. > Elle se met à pleurer.

1 Elle commence à parler.
2 Elle commence à crier des reproches.
3 Elle commence à implorer, à supplier.
4 Ils commencent à s'embrasser.
5 Il commence à marcher.
6 Ils commencent à courir.

Refaites les mêmes phrases au passé composé; utilisez d'autres pronoms personnels.

II Reprenez les phrases suivantes en utilisant *voici* et *où*.

EX Emma habite cette chambre. > Voici la chambre où Emma habite.

1 Le vagabond s'est échappé par cette ruelle.
2 Emma va retrouver l'homme dans cette maison.
3 Ils sont sortis ensemble de cet immeuble.
4 Ils ont disparu dans cette remise.

5 Le douanier a été blessé à cet endroit.
6 Il a été transporté à la pharmacie.

III Reprenez les phrases suivantes, en remplaçant *il est probable* par *il est possible*.

EX Il est probable qu'Emma connaît cet homme depuis long-temps. > Il est possible qu'Emma connaisse cet homme depuis longtemps.

1 Il est probable qu'Emma a peur.
2 Il est probable que l'homme attend quelqu'un.
3 Il est probable qu'ils se feront prendre.
4 Il est probable que le douanier guérira vite.
5 Il est probable que le maire en veut à Maigret.
6 Il est probable que quelque chose d'anormal s'est passé.

IV Transformez selon l'exemple, en utilisant *bien que*.

EX Elle sait que c'est dangereux. Elle ira voir l'homme quand même. > Bien qu'elle sache que c'est dangereux, elle ira voir l'homme.

1 Maigret sait où se trouve le vagabond. Il ne veut pas l'arrêter tout de suite.
2 Ils ont très froid. Ils ne se plaignent pas.
3 Ils ne peuvent rien entendre. Ils voient tout ce qui se passe.
4 Le douanier ne se connaît pas d'ennemis. Quelqu'un a tiré sur lui.
5 Sa jambe lui fait mal. Ils n'est pas grièvement blessé.
6 Le médecin lui dit que sa blessure n'est pas grave. Il gémit quand même.

V Transformez les phrases suivantes selon l'exemple.

EX Maigret a appris quelque chose d'intéressant. C'est certain. > Il est certain que Maigret a appris quelque chose d'intéressant.

1 Un colosse comme lui doit manger beaucoup. C'est vrai.
2 Il est très en colère contre Emma. C'est certain.
3 Maigret n'aime pas voir venir le maire. C'est probable.

4 Le vagabond n'a pas pu faire le coup. C'est évident.
5 Le douanier a eu plus de peur que de mal. C'est clair.
6 On n'a pas essayé de voler le douanier. C'est sûr.

VI Le texte du *Chien jaune* offre de nombreux exemples de l'usage du pronom neutre démonstratif *ce*. Etudiez les phrases suivantes :

ce + être + *nom*
C'est une plaisanterie, n'est-ce pas?
C'est le docteur. (MAIS Il est docteur.)
C'étaient des messieurs.
C'est une quincaillerie importante?
C'était vendredi.
C'est Emma.
C'est une amie de la femme du maire. (*Notez que l'on trouve fréquemment* Elle est l'amie de la femme du maire.)

ce + être + *pronom*
Ce n'est pas moi!
C'est elle qui m'a servi le café.
C'est bien cela!
Qui est-ce?

ce + être | *adjectif au degré superlatif*
C'est le meilleur homme de la terre.

ce + être + *adjectif sans antécédent précisé*
C'est inouï! ...C'est infâme!
Ici, ce n'est pas gai.
C'est triste à dire.
Ce n'est pas impossible.

ce + être + *adverbe*
Combien est-ce?
C'est beaucoup.

Il faut utiliser *il* plutôt que *ce* dans les cas suivants :

il (elle, ils, elles) + *nom non-modifié de profession, nationalité, religion, etc.*

Il est docteur.
Il est Parisien.

il + être + *heure du jour*

Il était huit heures du matin.

il (elle, ils, elles) + être + *antécédent précisé*

Elle est presque belle.
Les journalistes? Ils sont en bas.

Utilisez *ce* ou *il* comme il convient dans les phrases suivantes :

1 ———— est solide, confortable.
2 ———— est le chemin le plus court.
3 ———— est originaire de l'intérieur du pays.
4 ———— est le brigadier lui-même?
5 ———— est Simenon qui a écrit ce roman.
6 ———— est mon inspecteur?
7 ———— est encore temps pour quelques éditions de province.
8 ———— est probable qu'il a essayé d'appeler.
9 Je viens de recevoir l'article. ———— est dans ma chambre.
10 ———— est l'heure de l'apéritif.
11 ———— est facile, le mépris des forts pour les lâches.
12 ———— est tout ce que je sais.
13 ———— est fait, commissaire!
14 ———— est à la tête d'une boîte de nuit.
15 ———— est un vrai plongeon dans la vie provinciale que nous faisons.
16 ———— est la deuxième maison à droite.
17 ———— est quatre heures de l'après-midi.
18 ———— est Concarnois?
19 Est-———— assez?
20 ———— est le plus riche de ses camarades.

∾ *Questions*

1 Comment l'auteur souligne-t-il le caractère mystérieux et dramatique de l'excursion de Maigret et de Leroy sur le toit de l'hôtel?

2 Pourquoi pensez-vous que Maigret n'a pas arrêté le vagabond tout de suite?

3 Comment est-ce que l'auteur présente la scène entre Emma et le vagabond? Pourquoi choisit-il cette technique?

4 Quels semblent être au début les rapports entre Emma et le vagabond? Comment se développent-ils au cours de l'épisode?

5 Comment Leroy et Maigret réagissent-ils à ce qu'ils voient?

6 Pourquoi Maigret téléphone-t-il pour savoir si le docteur est toujours à la gendarmerie?

7 Que peut-on conclure quant à l'identité de la personne qui a tiré sur le douanier? Quant à ses motifs?

8 Que veut dire Maigret quand il déclare au maire « Je ne crois jamais rien. »?

9 Complétez oralement le dernier paragraphe du chapitre.

10 Quelles nouvelles complications apporte ce chapitre?

Plus un !

∽ « Vous conviendrez peut-être qu'il est temps, commissaire, que nous ayons un entretien sérieux... »

Le maire avait prononcé ces mots avec une déférence glacée et l'inspecteur Leroy ne connaissait pas encore assez Maigret pour juger de ses émotions d'après sa façon de rejeter la fumée de sa pipe. Des lèvres entrouvertes du commissaire, ce fut un mince filet gris qui sortit lentement, tandis que les paupières avaient deux ou trois battements. Puis Maigret tira son calepin de sa poche, regarda autour de lui le pharmacien, le docteur, les curieux.

« A vos ordres, monsieur le maire... Voici...

— Si vous voulez venir prendre une tasse de thé chez moi...,
se hâta d'interrompre le maire. J'ai ma voiture à la porte...
J'attendrai que vous ayez donné les ordres nécessaires...

— Quels ordres?...

— Mais... l'assassin... le vagabond... cette fille...

— Ah! oui! Eh bien, si la gendarmerie n'a rien de mieux à
faire, qu'elle surveille les gares des environs... »

Il avait son air le plus naïf.

« Quant à vous, Leroy, télégraphiez à Paris qu'on nous
expédie Goyard et allez vous coucher. »

Il prit place dans la voiture du maire, que conduisait un
chauffeur en livrée noire. Un peu avant les Sables Blancs, on
aperçut la villa bâtie à même la falaise, ce qui lui donnait un petit
air de château féodal. Des fenêtres étaient éclairées.

Pendant la route, les deux hommes n'avaient pas échangé
deux phrases.

« Permettez que je vous montre le chemin... »

Le maire abandonna sa pelisse aux mains d'un maître d'hôtel.

« Madame est couchée? »

— Elle attend monsieur le maire dans la bibliothèque... »

On l'y trouva en effet. Bien qu'âgée d'une quarantaine d'années, elle paraissait très jeune à côté de son mari, qui en avait
soixante-cinq. Elle adressa un signe de tête au commissaire.

« Eh bien?... »

Très homme du monde, le maire lui baisa la main, qu'il
garda dans la sienne tandis qu'il disait :

« Rassurez-vous!... Un douanier légèrement blessé... Et
j'espère qu'après la conversation que nous allons avoir, le
commissaire Maigret et moi, cet inadmissible cauchemar prendra
fin... »

Elle sortit, dans un froissement de soie. Une portière de
velours bleu retomba. La bibliothèque était vaste, les murs re-
couverts de belles boiseries, le plafond à poutres apparentes,
comme dans les manoirs anglais.

On apercevait d'assez riches reliures, mais les plus précieuses
devaient se trouver dans une bibliothèque close qui occupait tout
un pan de mur.

L'ensemble était d'une réelle somptuosité, sans faute de goût, le confort parfait. Bien qu'il y eût le chauffage central, des bûches flambaient dans une cheminée monumentale.

Aucun rapport avec le faux luxe de la villa du docteur. Le maire choisissait parmi des boîtes de cigares, en tendait une à Maigret.

« Merci! Si vous le permettez, je fumerai ma pipe...

— Asseyez-vous, je vous en prie... Vous prendrez du whisky?... »[1]

Il pressa un timbre, alluma un cigare. Le maître d'hôtel vint les servir. Et Maigret, peut-être volontairement, avait l'air gauche d'un petit bourgeois reçu dans une demeure aristocratique. Ses traits semblaient plus épais, son regard flou.

Son hôte attendit le départ du domestique.

« Vous devez comprendre, commissaire, qu'il n'est pas possible que cette série de crimes continue... Voilà... voyons... voilà cinq jours que vous êtes ici... Et, depuis cinq jours... »

Maigret tira de sa poche son calepin de blanchisseuse recouvert de toile cirée.

« Vous permettez?... interrompit-il. Vous parlez d'une série de crimes... Or, je remarque que toutes les victimes sont vivantes, sauf une... Une seule mort : celle de M. Le Pommeret... Pour ce qui est du[2] douanier, vous avouerez que, si quelqu'un avait vraiment voulu attenter à sa vie, il ne l'aurait pas atteint à la jambe... Vous connaissez l'endroit où le coup de feu a été tiré... L'agresseur était invisible... Il a pu prendre tout son temps... A moins qu'il n'ait jamais tenu un revolver?... »

Le maire le regarda avec étonnement, dit en saisissant son verre :

« Si bien que vous prétendez...?

— Qu'on a voulu le blesser à la jambe... Du moins jusqu'à preuve du contraire...

— A-t-on voulu atteindre M. Mostaguen à la jambe aussi? »

L'ironie perçait. Les narines du vieillard frémissaient. Il voulait être poli, rester calme parce qu'il était chez lui. Mais il y avait un sifflement désagréable dans sa voix.

---

[1] **whisky** *Le whisky a été et reste encore aujourd'hui une boisson à la mode en France parmi les gens riches et ceux qui veulent « faire chic », bien que le Français moyen continue à lui préférer le vin ou l'eau-de-vie.*

[2] **Pour ce qui est du** *En ce qui concerne le*

Maigret, avec l'air d'un bon fonctionnaire qui rend des comptes à un supérieur, poursuivit :

« Si vous le voulez bien, nous allons reprendre mes notes une à une... Je lis à la date du vendredi 7 novembre : *Une balle est tirée par la boîte aux lettres d'une maison inhabitée dans la direction de M. Mostaguen.* Vous remarquerez tout d'abord que personne, pas même la victime, ne pouvait savoir qu'à un moment donné M. Mostaguen aurait l'idée de s'abriter sur un seuil pour allumer son cigare... Un peu de vent en moins et le crime n'avait pas lieu !...[3] Or, il y avait néanmoins un homme armé d'un revolver derrière la porte... Ou bien c'était un fou, ou bien il attendait *quelqu'un qui devait venir*... Maintenant, souvenez-vous de l'heure !... Onze heures du soir... Toute la ville dort, hormis le petit groupe du café de l'Amiral...

« Je ne conclus pas. Voyons les coupables possibles. MM. Le Pommeret et Jean Servières, ainsi qu'Emma, sont hors de cause, puisqu'ils se trouvaient dans le café.

« Restent le docteur Michoux, sorti un quart d'heure plus tôt, et le vagabond aux empreintes formidables. Plus un inconnu que nous appellerons Ixe. Nous sommes d'accord?

« Ajoutons en marge que M. Mostaguen n'est pas mort et que dans quinze jours il sera sur pied.

« Passons au deuxième drame. *Le lendemain samedi, je suis au café avec l'inspecteur Leroy. Nous allons prendre l'apéritif avec MM. Michoux, Le Pommeret et Jean Servières, quand le docteur est pris de soupçon en regardant son verre. L'analyse prouve que la bouteille de Pernod est empoisonnée.*

« Coupables possibles : MM. Michoux, Le Pommeret, Servières, la fille de salle Emma, le vagabond — qui a pu, au cours de la journée, pénétrer dans le café sans être vu — et enfin notre inconnu que nous avons désigné sous le nom d'Ixe.

« Continuons. *Le dimanche matin, Jean Servières a disparu. Sa voiture est retrouvée, sanglante, non loin de chez lui. Avant même cette découverte, le Phare de Brest a reçu un compte rendu des événements bien fait pour semer la panique à Concarneau.*

---

[3] **n'avait pas lieu** c.-à-d., *n'aurait pas eu lieu* (voir la note 9, page 84)

« *Or, Servières est vu à Brest d'abord, à Paris ensuite, où il semble se cacher et où il se trouve évidemment de son plein gré.*[4]

« Un seul coupable possible : Servières lui-même.

« *Le même dimanche, M. Le Pommeret prend l'apéritif avec le docteur, rentre chez lui, y dîne et meurt après des suites d'un empoisonnement par la strychnine.*

« Coupables possibles : au café, si c'est là qu'il a été empoisonné, le docteur, Emma, et enfin notre Ixe.

« Ici, en effet, le vagabond doit être mis hors de cause,[5] car la salle n'a pas été vide un seul instant et ce n'est plus la bouteille qui a été empoisonnée mais un seul verre.

« Si le crime a été commis dans la maison de Le Pommeret, coupables possibles : sa logeuse, le vagabond et notre Ixe sempiternel.

« Ne vous impatientez pas... Nous arrivons au bout... *Ce soir, un douanier reçoit une balle dans la jambe alors qu'il passe dans une rue déserte... Le docteur n'a pas quitté la prison, où il est surveillé de près... Le Pommeret est mort... Servières est à Paris entre les mains de la Sûreté Générale...*[6] *Emma et le vagabond, à la même heure, sont occupés, sous mes yeux, à s'étreindre, puis à dévorer un poulet...*

« Donc, un seul coupable possible : Ixe...

« C'est-à-dire un individu que nous n'avons pas encore rencontré au cours des événements... Un individu qui peut avoir tout fait comme il peut n'avoir commis que ce dernier crime...

« Celui-là, nous ne le connaissons pas. Nous n'avons pas son signalement... Une seule indication : il avait intérêt, cette nuit, à provoquer un drame... Un intérêt puissant... Car ce coup de feu n'a pas été tiré par un rôdeur.

« Maintenant, ne me demandez pas de l'arrêter... Car vous conviendrez, monsieur le maire, que chacun dans la ville, que tous ceux surtout qui connaissent les principaux personnages mêlés à cette histoire et qui, en particulier, fréquentent au café de l'Amiral, sont susceptibles d'être cet Ixe...

« Vous-même... »

Ces derniers mots furent dits d'un ton léger en même temps

[4] **de son plein gré** volontairement
[5] **le vagabond... cause** c.-à-d., *le vagabond ne peut être soupçonné du crime*
[6] **la Sûreté Générale** *ancien nom de la Sûreté nationale, bureau administratif comparable au F.B.I. aux Etats-Unis*

que Maigret se renversait dans son fauteuil, étendait les jambes vers les bûches.

Le maire n'avait eu qu'un tressaillement.

« J'espère que ce n'est qu'une petite vengeance... »

Alors Maigret se leva soudain, secoua sa pipe dans le foyer, prononça en arpentant la bibliothèque :

« Même pas! Vous voulez des conclusions? Eh bien, en voilà... J'ai tenu simplement à vous montrer qu'une affaire comme celle-ci n'est pas une simple opération de police qu'on dirige de son fauteuil à coups de téléphone... Et j'ajouterai, monsieur le maire, avec tout le respect que je vous dois, que quand je prends la responsabilité d'une enquête, je tiens avant tout à ce qu'on me f... la paix! »

C'était sorti tout à trac...[7] Il y avait des jours que cela couvait. Maigret, peut-être pour se calmer, but une gorgée de whisky, regarda la porte en homme qui a dit ce qu'il avait à dire et qui n'attend plus que la permission de s'en aller.

Son interlocuteur resta un bon moment silencieux, à contempler la cendre blanche de son cigare. Il finit par la laisser tomber dans un bol de porcelaine bleue, puis il se leva lentement, chercha des yeux le regard de Maigret.

« Ecoutez-moi, commissaire... »

Il devait peser ses mots, car ceux-ci étaient espacés par des silences.

« J'ai peut-être eu tort, au cours de nos brèves relations, de manifester quelque impatience... »

C'était assez inattendu. Surtout dans ce cadre, où le vieillard avait l'air plus racé que jamais, avec ses cheveux blancs, son veston bordé de soie, son pantalon gris au pli rigide.

« Je commence à vous apprécier à votre juste valeur... En quelques minutes, à l'aide d'un simple résumé des faits, vous m'avez fait toucher du doigt le mystère angoissant, d'une complexité que je ne soupçonnais pas, qui est à la base de cette affaire... J'avoue que votre inertie en ce qui concerne le vagabond n'a pas été sans m'indisposer contre vous... »

Il s'était approché du commissaire dont il toucha l'épaule.

---

[7] **tout à trac** sans réflexion

« Je vous demande de ne pas m'en tenir rigueur...[8] J'ai de lourdes responsabilités, moi aussi... »

Il eût été impossible de deviner les sentiments de Maigret, qui était occupé à bourrer une pipe de ses gros doigts. Sa blague à tabac était usée. Son regard errait à travers une baie sur le vaste horizon de la mer.

« Quelle est cette lumière ? questionna-t-il soudain.

— C'est le phare...

— Non ! Je parle de cette petite lumière à droite...

— La maison du docteur Michoux...

— La servante est donc revenue ?

— Non ! C'est Mme Michoux, la mère du docteur, qui est rentrée cet après-midi...

— Vous l'avez vue ?... »

Maigret crut sentir une certaine gêne chez son hôte.

« C'est-à-dire qu'elle s'est étonnée de ne pas trouver son fils... Elle est venue s'informer ici... Je lui ai appris l'arrestation, en expliquant que c'était plutôt une mesure de protection... Car c'est bien cela, n'est-ce pas ?... Elle m'a demandé l'autorisation de lui rendre visite en prison... A l'hôtel, on ne savait pas ce que vous étiez devenu... J'ai pris sur moi de permettre cette visite...

« Mme Michoux est revenue peu avant le dîner pour avoir les dernières nouvelles... C'est ma femme qui l'a reçue et qui l'a invitée à dîner...

— Elles sont amies ?

— Si vous voulez ! Plus exactement des relations de bon voisinage... L'hiver, il y a très peu de monde à Concarneau... »

Maigret reprenait sa promenade à travers la bibliothèque.

« Vous avez donc dîné à trois ?...

— Oui... C'est arrivé assez souvent... J'ai rassuré comme je l'ai pu Mme Michoux, qui était très impressionnée par cette démarche à la gendarmerie... Elle a eu beaucoup de mal à élever son fils, dont la santé n'est pas brillante...

— Il n'a pas été question de Le Pommeret et de Jean Servières ?...

— Elle n'a jamais aimé Le Pommeret... Elle l'accusait d'entraîner son fils à boire... Le fait est que...

[8] **m'en tenir rigueur** m'en vouloir

— Et Servières?

— Elle le connaissait moins… Il n'appartenait pas au même monde… Un petit journaliste, une relation de café, si vous voulez, un garçon amusant… Mais, par exemple, on ne peut pas recevoir sa femme, dont le passé n'est pas irréprochable… C'est la petite 5 ville, commissaire!… Il faut vous résigner à ces distinctions… Elles vous expliquent en partie mes humeurs… Vous ignorez ce que c'est d'administrer une population de pêcheurs tout en tenant compte des susceptibilités des patrons et enfin d'une certaine bourgeoisie qui… 10

— A quelle heure Mme Michoux est-elle partie d'ici?

— Vers dix heures… Ma femme l'a reconduite en voiture.

— Cette lumière nous prouve que Mme Michoux n'est pas encore couchée…

— C'est son habitude… La mienne aussi!… A un certain âge, 15 on n'a plus besoin de beaucoup de sommeil… Très tard dans la nuit, je suis encore ici à lire, ou à feuilleter des dossiers…

— Les affaires des Michoux sont prospères? »

Nouvelle gêne, à peine marquée.

« Pas encore… Il faut attendre que les Sables Blancs soient 20 mis en valeur… Etant donné[9] les relations de Mme Michoux à Paris, cela ne tardera pas… De nombreux lots sont vendus… Au printemps, on commencera à bâtir… Au cours du voyage qu'elle vient de faire, elle a à peu près décidé un banquier dont je ne puis vous dire le nom à[10] construire une magnifique villa au sommet de 25 la côte…

— Une question encore, monsieur le maire… A qui appartenaient auparavant les terrains qui font l'objet du lotissement? »

Son interlocuteur n'hésita pas.

« A moi! c'est un bien de famille, comme cette villa. Il n'y 30 poussait que de la bruyère et des genêts quand les Michoux ont eu l'idée… »

A ce moment, la lumière au loin s'éteignit.

« Encore un verre de whisky, commissaire?… Bien entendu, je vous ferai reconduire par mon chauffeur… 35

[9] **Etant donné** Si nous prenons en considération
[10] **décidé… à** persuadé… de

— Vous êtes trop aimable. J'adore marcher, surtout quand je dois réfléchir...

— Que pensez-vous de cette histoire de chien jaune?... Je confesse que c'est peut-être ce qui me déroute le plus... Ça et le Pernod empoisonné!... Car enfin... »

Mais Maigret cherchait son chapeau et son manteau autour de lui. Le maire ne put que pousser le bouton électrique.

« Les vêtements du commissaire, Delphin! »

Le silence fut si absolu qu'on entendit le bruit sourd, scandé, du ressac sur les rochers servant de base à la villa.

« Vous ne voulez vraiment pas ma voiture?...

— Vraiment... »

Il restait dans l'atmosphère comme des lambeaux de gêne qui ressemblaient aux lambeaux de fumée de tabac s'étirant autour des lampes.

« Je me demande ce que va être demain l'état d'esprit de la population... Si la mer est belle, du moins aurons-nous les pêcheurs en moins dans les rues, car ils en profiteront pour aller poser leurs casiers... »

Maigret prit son manteau des mains du maître d'hôtel, tendit sa grosse main. Le maire avait encore des questions à poser, mais il hésitait, à cause de la présence du domestique.

« Combien de temps croyez-vous qu'il faille désormais pour... »

L'horloge marquait une heure du matin.

« Ce soir, j'espère que tout sera fini...

— Si vite?... Malgré ce que vous m'avez dit tout à l'heure?... Dans ce cas, vous comptez sur Goyard?... A moins que... »

Il était trop tard. Maigret s'engageait dans l'escalier. Le maire cherchait une dernière phrase à prononcer. Il ne trouvait rien qui traduisît son sentiment.

« Je suis confus[11] de vous laisser rentrer à pied... par ces chemins... »

La porte se referma. Maigret était sur la route avec, au-dessus de sa tête, un beau ciel aux nuages lourds qui jouaient à passer au plus vite devant la lune.

---

[11] **confus** embarrassé

L'air était vif. Le vent venait du large, sentait le goémon dont on devinait les gros tas noirs sur le sable de la plage.

Le commissaire marcha lentement, les mains dans les poches, la pipe aux dents. Il vit de loin, en se retournant, les lumières s'éteindre dans la bibliothèque, puis d'autres qui s'allumaient au 5 second étage où les rideaux les étouffèrent.

Il ne prit pas à travers la ville, mais longea la côte, comme le douanier l'avait fait, s'arrêta un instant à l'angle où l'homme avait été blessé. Tout était calme. Un réverbère, de loin en loin. Concarneau dormait. 10

Quand il arriva sur la place, il vit les baies du café qui étaient encore éclairées et qui troublaient la paix de la nuit de leur halo vénéneux.

Il poussa la porte. Un journaliste dictait, au téléphone :

« ... On ne sait plus qui soupçonner. Les gens, dans les rues, 15 se regardent avec angoisse. Peut-être est-ce celui-ci le meurtrier ? Peut-être celui-là ? Jamais atmosphère de mystère et de peur ne fut si épaisse... »

Le patron, lugubre, était lui-même à sa caisse. Quand il aperçut le commissaire, il voulut parler. On devinait d'avance 20 ses récriminations.

Le café était en désordre. Il y avait des journaux sur toutes les tables, des verres vides, et un photographe était occupé à faire sécher des épreuves sur le radiateur.

L'inspecteur Leroy s'avança vers son chef. 25

« C'est Mme Goyard... », dit-il à mi-voix en désignant une femme grassouillette affalée sur la banquette.

Elle se levait. Elle s'essuyait les yeux.

« Dites, commissaire !... Est-ce vrai ?... Je ne sais plus qui croire... Il paraît que Jean est vivant ?... Mais ce n'est pas possible, 30 n'est-ce pas ? qu'il ait joué cette comédie !... Il ne m'aurait pas fait ça !... Il ne m'aurait pas laissée dans une pareille inquiétude !... Il me semble que je deviens folle !... Qu'est-ce qu'il serait allé faire à Paris ?... Dites !... Et sans moi !... »

Elle pleurait. Elle pleurait comme certaines femmes savent 35 pleurer, à grand renfort de[12] larmes fluides qui roulaient sur ses

---

[12] **à grand renfort de** avec une grande quantité de

joues, coulaient jusqu'à son menton tandis que sa main pressait un sein charnu.

Et elle reniflait. Elle cherchait son mouchoir. Elle voulait parler par surcroît.

« Je vous jure que ce n'est pas possible !... Je sais bien qu'il 5 était un peu coureur... Mais il n'aurait pas fait ça !... Quand il revenait, il me demandait pardon... Comprenez-vous ?... Ils disent... »

Elle désignait les journalistes.

« ... ils disent que c'est lui-même qui a fait les taches de 10 sang dans la voiture, pour laisser croire à un crime... Mais alors, c'est qu'il n'aurait pas eu l'intention de revenir !... Et je sais, moi, vous entendez, je suis sûre qu'il serait revenu !... Il n'aurait jamais fait la noce si les autres ne l'avaient pas entraîné... M. Le Pommeret... Le docteur... Et le maire !... Et tous, qui ne 15 me saluaient même pas dans la rue, parce que j'étais trop peu de chose[13] pour eux !...

« On m'a dit qu'il était arrêté... Je refuse de le croire... Qu'est-ce qu'il aurait fait de mal ?... Il gagnait assez pour le train de vie que nous menions... On était heureux, malgré les bombes 20 qu'il s'offrait de temps en temps... »

Maigret la regarda, soupira, prit un verre sur la table, en avala le contenu d'un trait et murmura :

« Vous m'excuserez, madame... Il faut que j'aille dormir...

— Vous croyez, vous aussi, qu'il est coupable de quelque 25 chose ?...

— Je ne crois jamais rien... Faites comme moi, madame... Demain, c'est encore un jour... »

Et il gravit l'escalier à pas lourds tandis que le journaliste, qui n'avait pas quitté l'appareil téléphonique, tirait parti[14] de 30 cette dernière phrase :

Aux dernières nouvelles, c'est demain que le commissaire Maigret compte élucider définitivement le mystère...

Il ajouta d'une autre voix :

« C'est tout, mademoiselle... Surtout, dites au patron qu'il 35

---

[13] **peu de chose** insignifiante
[14] **tirait parti** profitait

ne change pas une ligne à mon papier... Il ne peut pas comprendre... Il faut être sur les lieux... »

Ayant raccroché, il commanda en poussant son bloc-notes dans sa poche :

« Un grog, patron !... Beaucoup de rhum et un tout petit ^{5} peu d'eau chaude... »

Cependant que Mme Goyard acceptait l'offre qu'un reporter lui faisait de la reconduire. Et elle recommençait chemin faisant[15] ses confidences :

« A part qu'il[16] était un peu coureur... Mais vous comprenez, monsieur !... Tous les hommes le sont !... » ^{10}

∽ Exercices

I Reprenez les phrases suivantes en utilisant *y* et en remplaçant les noms par des pronoms.

EX Leroy a trouvé Maigret sur le toit. > Il l'y a trouvé.

1 Maigret prend place dans la voiture du maire.
2 Voulez-vous aller à la villa du maire ?
3 Ils ont trouvé la femme du maire dans la bibliothèque.
4 Le maire dit qu'il faut se résigner à certaines distinctions.
5 La nouvelle villa sera construite au sommet de la côte.
6 Il ne pousse pas d'herbe sur ce terrain.

II Reprenez les phrases suivantes en utilisant *en*.

EX Leroy ne pouvait juger des émotions de Maigret. > Leroy ne pouvait en juger.

1 Maigret tirait son calepin de sa poche.
2 Le maire tendait une des boîtes de cigares à Maigret.
3 Vous parlez d'une série de crimes.
4 Souvenez-vous de l'heure !
5 Croyez-vous qu'il est coupable du crime ?
6 Le journaliste tirait parti de la dernière phrase de Maigret.

[15] **chemin faisant** pendant qu'ils marchaient
[16] **à part qu'il** sauf qu'il

III Transformez les phrases suivantes selon l'exemple.

EX Maigret a bu de l'eau et du vin. > Maigret n'a bu ni eau ni vin.

1 La salle manquait de goût et de confort.
2 Il a fumé un cigare et une cigarette.
3 Maigret était calme et patient.
4 Emma et le vagabond ont pu le faire.
5 Dans le ciel on voyait la lune et des nuages.
6 Dans l'atmosphère il y a du mystère et de la peur.

IV Utilisez le mot *chez* dans les phrases suivantes.

EX Maigret est allé à la villa du maire. > Maigret est allé chez le maire.

1 Le maire voulait rester calme, parce qu'il était dans sa propre maison.
2 Avec Maigret, c'était une habitude d'être brusque.
3 Parmi les Français on trouve des hommes comme lui.
4 Quelquefois on invite Mme Michoux à dîner avec le maire et sa femme.
5 Avec le maire le bon goût était naturel.
6 Dans les œuvres de Simenon il y a beaucoup de personnages bizarres.

V Mettez les phrases suivantes au négatif.

EX On croit qu'il est fâché. > On ne croit pas qu'il soit fâché.

1 On croit que le maire est un homme puissant.
2 On croit que le vagabond a fait le coup.
3 Maigret croit qu'on doit le laisser travailler en paix.
4 Le maire croit que Maigret agit trop lentement.
5 Il croit qu'il faut arrêter quelqu'un.
6 Mme Goyard croit que son mari est mort.

Reprenez ces phrases en utilisant le verbe *penser* au lieu de *croire*.

VI Complétez les phrases suivantes en employant un seul mot.

1 J'espère qu'après notre conversation cet inadmissible cauchemar prendra ———.

2 Asseyez-vous, je vous en ———.

3 Un peu de vent en moins et le crime n' ——— pas lieu.

4 M. Mostaguen n'est pas mort et dans quinze jours il sera ——— pied.

5 Ici, en effet, le vagabond doit être mis hors de ———.

6 Il regarda la porte ——— homme qui a dit ce qu'il avait à dire.

7 Il avait ———, cette nuit, à provoquer un drame.

8 J'ai ——— sur moi de permettre cette visite.

9 Elle voulait parler ——— surcroît.

10 Demain, c'est ——— un jour.

❧ Questions

1 Pourquoi Maigret donne-t-il l'ordre à la gendarmerie de surveiller les gares des environs?

2 Vue de loin, à quoi ressemble la villa du maire? Qu'est-ce que cela suggère quant au rôle que joue le maire dans la ville?

3 Qu'est-ce qui fait voir que la villa est luxueuse? Donnez des exemples.

4 Depuis combien de jours Maigret est-il à Concarneau? Combien de crimes ont été commis depuis son arrivée? Combien des victimes sont mortes?

5 Que peut-on conclure à propos du premier crime, étant donné que personne ne pouvait savoir qu'à un moment donné M. Mostaguen aurait l'idée de s'abriter sur le seuil pour allumer son cigare?

6 Quels sont les crimes dont le vagabond est un coupable possible?

7 Quelles conclusions peut-on tirer de ce que dit Maigret au sujet du dernier crime? (Parlez des coupables possibles, des intentions possibles.)

8 De quelle façon le résumé de Maigret aide-t-il le lecteur?

9 Comment est-ce que le maire réagit à la petite explosion de colère de Maigret?

10 Qu'est-ce que Maigret apprend sur Mme Michoux?

11 Lorsque Maigret entre dans le café il entend un journaliste parler au téléphone. Comment est-ce que ce qu'il dicte fait contraste avec la scène qui précède immédiatement?

12 Plus tard le journaliste ajoute une phrase à son papier. Quelle est votre réaction à cette phrase?

13 Décrivez Mme Goyard.

14 Que signifie le titre du chapitre?

La Boîte aux coquillages

∾ Maigret était de si bonne humeur, le lendemain matin, que l'inspecteur Leroy osa le suivre en bavardant, et même lui poser des questions.

D'ailleurs, sans qu'on eût pu dire pourquoi, la détente était générale. Cela tenait peut-être au[1] temps qui, tout à coup, s'était mis au beau. Le ciel semblait avoir été lavé tout fraîchement. Il était bleu, d'un bleu un peu pâle mais vibrant où scintillaient de légères nuées. Du fait, l'horizon était plus vaste, comme si on eût creusé la calotte céleste. La mer, toute plate,

[1] **Cela tenait peut-être au** Cela résultait peut-être du

scintillait, plantée de petites voiles qui avaient l'air de drapeaux épinglés sur une carte d'état-major.

Or, il ne faut qu'un rayon de soleil pour transformer Concarneau, car alors les murailles de la vieille ville, lugubres sous la pluie, deviennent d'un blanc joyeux, éclatant. 5

Les journalistes, en bas, fatigués par les allées et venues des trois dernières journées, se racontaient des histoires en buvant leur café et l'un d'eux était descendu en robe de chambre, les pieds nus dans des mules.

Maigret, lui, avait pénétré dans la chambre d'Emma, une 10 mansarde plutôt, dont la fenêtre à tabatière s'ouvrait sur la ruelle et dont le plafond en pente ne permettait de se tenir debout que dans la moitié de la pièce.

La fenêtre était ouverte. L'air était frais, mais on y sentait des caresses de soleil. Une femme en avait profité pour mettre 15 du linge à sécher à sa fenêtre, de l'autre côté de la venelle. Dans une cour d'école, quelque part, vibrait une rumeur de récréation.

Et Leroy, assis au bord du petit lit de fer, remarquait :

« Je ne comprends pas encore tout à fait vos méthodes, commissaire, mais je crois que je commence à deviner... » 20

Maigret le regarda de ses yeux rieurs, envoya dans le soleil une grosse bouffée de fumée.

« Vous avez de la chance, vieux ! Surtout en ce qui concerne cette affaire, dans laquelle ma méthode a justement été de ne pas en avoir... Si vous voulez un bon conseil, si vous tenez à votre 25 avancement, n'allez surtout pas prendre modèle sur moi, ni essayer de tirer des théories de ce que vous me voyez faire...

— Pourtant... je constate que maintenant vous en arrivez aux indices matériels, après que...

— Justement, après ! Après tout ! Autrement dit, j'ai pris 30 l'enquête à l'envers, ce qui ne m'empêchera peut-être pas de prendre la prochaine à l'endroit... Question d'atmosphère... Question de têtes...² Quand je suis arrivé ici, je suis tombé sur une tête qui m'a séduit³ et je ne l'ai plus lâchée... »

Mais il ne dit pas à qui appartenait cette tête. Il soulevait un 35 vieux drap de lit qui cachait une penderie. Elle contenait un

² **têtes** visages
³ **m'a séduit** m'a intéressé

costume breton en velours noir qu'Emma devait réserver pour les jours de fête.

Sur la toilette, un peigne aux nombreuses dents cassées, des épingles à cheveux et une boîte de poudre de riz trop rose. C'est dans un tiroir qu'il trouva ce qu'il semblait chercher : une boîte ornée de coquillages brillants comme on en vend dans tous les bazars du littoral. Celle-ci, qui datait peut-être de dix ans et qui avait parcouru Dieu sait quel chemin, portait les mots : « Souvenir d'Ostende.[4] »

Il s'en dégageait une odeur de vieux carton, de poussière, de parfum et de papier jauni. Maigret, qui s'était assis au bord du lit près de son compagnon, faisait de ses gros doigts l'inventaire de menues choses.

Il y avait un chapelet aux boules de verre bleu taillées à facettes, à la frêle chaînette d'argent, une médaille de première communion, un flacon de parfum vide qu'Emma avait dû garder à cause de sa forme séduisante et qu'elle avait peut-être trouvé dans la chambre d'une locataire...

Une fleur en papier, souvenir d'un bal ou d'une fête, apportait une note d'un rouge vif.

A côté, une petite croix, en or, était le seul objet d'un peu de valeur.

Tout un tas de cartes postales. L'une représentait un grand hôtel de Cannes. Au dos, une écriture de femme :

Tu feré mieu de venir isi que de resté dan ton sale trou ou i pleu tout le tant. Et on gagnes bien. On mange tan qu'ont veu. Je tembrasse.

LOUISE

Maigret passa la carte à l'inspecteur, regarda attentivement une de ces photographies de foire que l'on obtient en tirant une balle au milieu d'une cible.

Par le fait qu'il épaulait la carabine, on voyait à peine l'homme, dont un œil était fermé. Il avait une carrure énorme, une casquette de marin sur la tête. Et Emma, souriant à l'objectif,

---

[4] **Ostende** *ville de Belgique, station balnéaire sur la mer du Nord*

lui tenait ostensiblement le bras. Au bas de la carte, la mention :
Quimper.[5]

Une lettre, au papier si froissé qu'elle avait dû être relue
maintes fois :

Ma chérie,

*C'est dit, c'est signé : j'ai mon bateau. Il s'appellera : « La
Belle-Emma. » Le curé de Quimper m'a promis de le baptiser la semaine
prochaine, avec l'eau bénite, les grains de blé, le sel et tout, et il y
aura du vrai champagne, parce que je veux que ce soit une fête dont
on parle longtemps dans le pays.*

*Ce sera un peu dur au début de le payer, car je dois verser à
la banque dix mille francs par an. Mais pense qu'il porte cent brasses
carrées de toile et qu'il filera ses dix nœuds. Il y a gros à gagner[6]
en transportant les oignons en Angleterre. C'est te dire qu'on ne tardera
pas à se marier. J'ai déjà trouvé du fret pour le premier voyage mais
on essaie de me refaire[7] parce que je suis nouveau.*

*Ta patronne pourrait bien te trouver deux jours de congé pour le
baptême car tout le monde sera soûl et tu ne pourras pas rentrer à Concarneau. Il a déjà fallu que je paie des tournées dans les cafés à cause
du bateau qui est déjà dans le port et qui a un pavillon tout neuf.*

*Je me ferai photographier dessus et je t'enverrai la photo. Je t'em-
brasse comme je t'aime en attendant que tu sois la femme chérie de ton*

LEON

Maigret glissa la lettre dans sa poche, en regardant d'un air
rêveur le linge qui séchait de l'autre côté de l'impasse. Il n'y
avait plus rien dans la boîte aux coquillages, sinon un porte-plume
en os découpé où l'on voyait, dans une lentille de verre, la crypte
de Notre-Dame de Lourdes.[8]

« Il y a quelqu'un dans la chambre qu'occupait habituelle-
ment le docteur ? questionna-t-il.

---

[5] **Quimper** *ville de Bretagne à quelques kilomètres de Concarneau*
[6] **gros à gagner** beaucoup (d'argent) à gagner
[7] **refaire** duper
[8] **Notre-Dame de Lourdes** *basilique consacrée à la Vierge dans la ville pyrénéenne; lieu de
pèlerinage célèbre*

— Je ne le pense pas. Les journalistes sont installés au second... »

Le commissaire fouilla encore la pièce, par acquit de conscience,[9] mais ne trouva rien d'intéressant. Un peu plus tard, il était au premier étage, poussait la porte de la chambre 3, celle dont le balcon domine le port et la rade.

Le lit était fait, le plancher ciré. Il y avait des serviettes propres sur le broc.

L'inspecteur suivait des yeux son chef avec une curiosité mêlée de scepticisme. Maigret, d'autre part,[10] sifflotait en regardant autour de lui, avisait une petite table de chêne posée devant la fenêtre et ornée d'un sous-main réclame et d'un cendrier.

Dans le sous-main, il y avait du papier blanc à en-tête de l'hôtel et une enveloppe bleue portant les mêmes mentions. Mais il y avait aussi deux grandes feuilles de papier buvard, l'une presque noire d'encre, l'autre à peine tachetée de caractères incomplets.

« Allez me chercher un miroir, vieux!
— Un grand?
— Peu importe! Un miroir que je puisse poser sur la table. »

Quand l'inspecteur revint, il trouva Maigret campé sur le balcon, les doigts passés dans les entournures du gilet, fumant sa pipe avec une satisfaction évidente.

« Celui-ci conviendra?... »

La fenêtre fut refermée. Maigret posa le miroir debout sur la table et, à l'aide de deux chandeliers qu'il prit sur la cheminée, il dressa vis-à-vis la feuille de papier buvard.

Les caractères reflétés dans la glace étaient loin d'être d'une lecture facile. Des lettres, des mots entiers manquaient. Il fallait en deviner d'autres, trop déformés.

« J'ai compris! dit Leroy d'un air malin.

— Bon! alors, allez demander au patron un carnet de comptes d'Emma... ou n'importe quoi écrit par elle... »

Il transcrivit des mots, au crayon, sur une feuille de papier.

---

[9] **par acquit de conscience** c.-à-d., *uniquement par scrupule*
[10] **d'autre part** par contre

... te voir... heures... inhabitée... absolument...

Quand l'inspecteur revint, le commissaire, remplissant les vides avec approximation, reconstituait le billet suivant :

J'ai besoin de te voir. Viens demain à onze heures dans la maison inhabitée qui se trouve sur la place, un peu plus loin que l'hôtel. Je compte absolument sur toi. Tu n'auras qu'à frapper et je t'ouvrirai la porte.

« Voici le carnet de la blanchisseuse, qu'Emma tenait à jour![11] annonça Leroy.

— Je n'en ai plus besoin... La lettre est signée... Regardez ici... *mma*... Autrement dit : *Emma*... Et la lettre a été écrite dans cette chambre!...

— Où la fille de salle retrouvait le docteur? » s'effara l'inspecteur.

Maigret comprit sa répugnance à admettre cette hypothèse, surtout après la scène à laquelle, couchés sur la corniche, ils avaient assisté la veille.

« Dans ce cas, ce serait elle qui... ?

— Doucement! Doucement, petit! Pas de conclusions hâtives! Et surtout pas de déductions!... A quelle heure arrive le train qui doit nous amener Jean Goyard?...

— Onze heures trente-deux...

— Voici ce que vous allez faire, vieux!... Vous direz d'abord aux deux collègues qui l'accompagnent de me conduire le bonhomme à la gendarmerie... Il y arrivera donc vers midi... Vous téléphonerez au maire que je serais heureux de le voir à la même heure, au même endroit... Attendez!... Même message pour Mme Michoux, que vous toucherez téléphoniquement à sa villa... Enfin, il est probable que d'un moment à l'autre les policiers ou les gendarmes vous amèneront Emma et son amant... Même destination, même heure!... Est-ce que je n'oublie personne?... Bon! une recommandation!... Qu'Emma ne soit pas interrogée en mon absence... Empêchez-la même de parler...

— Le douanier?...

[11] **tenait à jour** remplissait chaque jour

— Je n'en ai pas besoin.

— M. Mostaguen...

— Heu !... Non !... C'est tout !... »

Dans le café, Maigret commanda un marc du pays, qu'il dégusta avec un visible plaisir tout en lançant aux journalistes : « Cela se tire,[12] messieurs !... Ce soir, vous pourrez regagner Paris... »

Sa promenade à travers les rues tortueuses de la vieille ville accrut sa bonne humeur. Et, quand il arriva devant la porte de la gendarmerie, surmontée du clair drapeau français, il nota que l'atmosphère, par la magie du soleil, des trois couleurs, du mur ruisselant de lumière, avait une allégresse de 14 juillet.

Un vieux gendarme, assis sur une chaise de l'autre côté de la poterne, lisait un journal amusant. La cour, avec tous ses petits pavés séparés par des traits de mousse verte, avait la sérénité d'une cour de couvent.

« Le brigadier ?...

— Ils sont tous en route, le lieutenant, le brigadier et la plupart des hommes, à la recherche du vagabond que vous savez...

— Le docteur n'a pas bougé ?... »

L'homme sourit en regardant la fenêtre grillagée du cachot, à droite.

« Il n'y a pas de danger !

— Ouvrez-moi la porte, voulez-vous ? »

Et, dès que les verrous furent tirés, il lança d'une voix joyeuse, cordiale :

« Bonjour, docteur !... Vous avez bien dormi, au moins ?... »

Mais il ne vit qu'un pâle visage en lame de couteau qui, sur le lit de camp, émergeait d'une couverture grise. Les prunelles étaient fiévreuses, profondément enfoncées dans les orbites.

« Alors quoi ? Ça ne va pas ?...

— Très mal... articula Michoux en se soulevant sur sa couche avec un soupir. C'est mon rein...

— On vous donne tout ce dont vous avez besoin, j'espère ?

— Oui... Vous êtes bien aimable... »

[12] **Cela se tire** c.-à-d., *L'affaire tire à sa fin*

Il s'était couché tout habillé. Il sortit les jambes de la couverture, s'assit, se passa la main sur le front. Et Maigret, au même moment, enfourchait une chaise, s'accoudait au dossier, éclatant de santé, d'entrain.

« Dites donc! je vois que vous avez commandé du bour- 5 gogne!...

— C'est ma mère qui me l'a apporté hier... J'aurais autant aimé éviter cette visite... Elle a dû avoir vent de quelque chose, à Paris... Elle est rentrée... »

Le cerne des paupières rongeait la moitié des joues non 10 rasées, qui semblaient plus creuses. Et l'absence de cravate, comme le complet fripé, accroissaient l'impression de détresse qui se dégageait du personnage.

Il s'interrompait de parler pour toussoter. Il cracha même ostensiblement dans son mouchoir qu'il regarda en homme qui 15 craint la tuberculose et qui s'observe avec anxiété.

« Vous avez du nouveau? questionna-t-il avec lassitude.

— Les gendarmes ont dû vous parler du drame de cette nuit?

— Non... Qu'est-ce que...? Qui a été... ? »

Il s'était collé au mur comme s'il eût craint d'être assailli. 20

« Bah! Un passant qui a reçu une balle dans la jambe...

— Et on tient le... le meurtrier?... Je n'en peux plus[13] commissaire!... Avouez qu'il y a de quoi devenir fou... Encore un client du café de l'Amiral, n'est-ce pas?... C'est nous que l'on vise!... Et je me creuse en vain la tête pour deviner pourquoi... 25 Oui, pourquoi?... Mostaguen!... Le Pommeret!... Goyard! ...Et le poison qui nous était destiné à tous... Vous verrez qu'ils finiront par m'atteindre malgré tout, ici même!... Mais pourquoi, dites?... »

Il n'était plus pâle. Il était livide. Et il faisait mal à voir[14] tant il illustrait l'idée de panique dans ce qu'elle a de plus pitoy- 30 able, de plus affreux.

« Je n'ose pas dormir... Cette fenêtre, tenez!... Il y a des barreaux... Mais il est possible de tirer à travers... la nuit!... Un gendarme, ça[15] peut s'endormir, ou penser à autre chose... Je ne suis pas né pour une vie pareille, moi!... Hier, j'ai bu toute 35

---

[13] **Je n'en peux plus** Je suis épuisé
[14] **il faisait mal à voir** c.-à-d., il inspirait de la pitié
[15] **ça** il (*voir la note 10, p.* 52)

cette bouteille, avec l'espoir de dormir... Et je n'ai pas fermé l'œil!... J'ai été malade!... Si seulement on était parvenu à abattre ce vagabond, avec son chien jaune...

« Est-ce qu'on l'a revu, le chien?... Est-ce qu'il rôde toujours autour du café?... Je ne comprends pas qu'on ne lui ait pas envoyé une balle dans la peau... A lui et à son maître!... 5

— Son maître a quitté Concarneau cette nuit...

— Ah!... »

Le docteur semblait avoir peine à y croire.

« Tout de suite après... après son nouveau crime?... 10

— Avant!...

— Mais alors?... Ce n'est pas possible!... Il faut croire que...

— C'est cela! Je le disais au maire, cette nuit... Un drôle de bonhomme, entre nous, le maire... Qu'est-ce que vous en pensez, vous?... 15

— Moi?... Je ne sais pas... Je...

— Enfin, il vous a vendu les terrains du lotissement... Vous êtes en rapport avec lui... Vous étiez ce qu'on appelle des amis...

— Nous avions surtout des relations d'affaires et de bon voisinage... A la campagne... » 20

Maigret nota que la voix se raffermissait, qu'il y avait moins de flou dans le regard du docteur.

« Qu'est-ce que vous lui disiez?... »

Maigret tira son carnet de sa poche.

« Je lui disais que la série de crimes ou, si vous préférez, de 25 tentatives de meurtre, n'avait pu être commise par aucune des personnes actuellement connues de nous... Je ne vais pas reprendre les drames un par un... Je résume... Je parle objectivement, n'est-ce pas? en technicien?... Eh bien, il est certain que vous n'avez pas pu matériellement tirer cette nuit sur le douanier, ce 30 qui pourrait suffire à vous mettre hors de cause... Le Pommeret n'a pas pu tirer non plus, puisqu'on l'enterre demain matin... Ni Goyard, qui vient d'être retrouvé à Paris!... Et ils ne pouvaient, ni l'un ni l'autre, se trouver le vendredi soir derrière la boîte aux lettres de la maison vide... Emma non plus... 35

— Mais le vagabond au chien jaune?

— J'y ai pensé! Non seulement ce n'est pas lui qui a empoisonné Le Pommeret, mais, cette nuit, il était loin des lieux du drame quand celui-ci s'est produit... C'est pourquoi j'ai parlé au maire d'une personne inconnue, un Ixe mystérieux qui, lui, pourrait avoir commis tous ces crimes... A moins...

— A moins?...

— A moins qu'il ne s'agisse pas d'une série!... Au lieu d'une sorte d'offensive unilatérale, supposez un vrai combat, entre deux groupes, ou entre deux individus...

— Mais alors, commissaire, qu'est-ce que je deviens, moi?... S'il y a des ennemis inconnus qui rôdent... je... »

Et son visage se ternissait à nouveau. Il se prit la tête à deux mains.

« Quand je pense que je suis malade, que les médecins me recommandent le calme le plus absolu!... Oh! il n'y aura pas besoin d'une balle, ni de poison pour m'avoir... Vous verrez que mon rein fera le nécessaire...

— Qu'est-ce que vous pensez du maire?...

— Je ne sais pas! Je ne sais rien!... Il est d'une famille très riche... Jeune homme, il a mené la grande vie à Paris... Il a eu son écurie de course... Puis il s'est rangé... Il a sauvé une partie de sa fortune et il est venu s'installer ici, dans la maison de son grand-père qui était, lui aussi, maire de Concarneau... Il m'a vendu les terres qui ne lui servaient pas... Je crois qu'il voudrait être nommé conseiller général, pour finir au Sénat... »

Le docteur s'était levé et on eût juré qu'en quelques jours, il avait maigri de dix kilos. Il se fût mis à pleurer d'énervement qu'on ne s'en serait pas étonné.

« Qu'est-ce que vous voulez y comprendre?... Et ce Goyard qui est à Paris quand on croit... Qu'est-ce qu'il peut bien faire là?... Et pourquoi?...

— Nous ne tarderons pas à le savoir, car il va arriver à Concarneau... Il est même arrivé à l'heure qu'il est...

— On l'a arrêté?...

— On l'a prié de suivre deux messieurs jusqu'ici... Ce n'est pas la même chose...

— Qu'est-ce qu'il a dit?...

— Rien! Il est vrai qu'on ne lui a rien demandé! »

Alors, soudain, le docteur regarda le commissaire en face. Le sang lui monta d'un seul coup aux pommettes.

« Qu'est-ce que cela veut dire?... Moi, j'ai l'impression que
quelqu'un devient fou!... Vous venez me parler du maire, de
Goyard... Et je sens, vous entendez, je sens que d'un moment
à l'autre, c'est moi qui serai tué... Malgré ces barreaux qui n'em-
pêcheront rien!... Malgré ce gros imbécile de gendarme qui est 5
de garde dans la cour!... Et je ne veux pas mourir!... Je ne veux
pas!... Qu'on me donne seulement un revolver pour me défendre!... Ou alors, qu'on enferme ceux qui en veulent à ma vie,
ceux qui ont tué Le Pommeret, qui ont empoisonné la bouteille... » 10

Il pantelait des pieds à la tête.

« Je ne suis pas un héros, moi! Mon métier n'est pas de
braver la mort!... Je suis un homme!... Je suis un malade!...
Et j'ai bien assez, pour vivre, de lutter contre la maladie... Vous
parlez! Vous parlez!... Mais qu'est-ce que vous faites?... » 15

Rageur, il se frappa le front contre le mur.

« Tout ceci ressemble à une conspiration... A moins qu'on
veuille me rendre fou... Oui! on veut m'interner!... Qui
sait?... N'est-ce pas ma mère qui en a assez?... Parce que j'ai toujours gardé jalousement la part qui me revient dans l'héritage de 20
mon père!... Mais je ne me laisserai pas faire... »[16]

Maigret n'avait pas bougé. Il était toujours là, au milieu de
la cellule blanche dont un mur était inondé de soleil, les coudes
sur le dossier de sa chaise, la pipe aux dents.

Le docteur allait et venait, en proie à une agitation qui con- 25
finait au délire.

Or, soudain, on entendit dans la pièce une voix joyeuse, à
peine ironique, qui modulait à la façon des enfants :

« Coucou!... »

Ernest Michoux sursauta, regarda les quatre coins de la 30
cellule avant de fixer Maigret. Et alors il aperçut le visage du
commissaire, qui avait tiré sa pipe de sa bouche et qui rigolait en
lui lançant une œillade.

Ce fut comme l'effet d'un déclic. Michoux s'immobilisa,
tout mou, tout falot, eut l'air de fondre jusqu'à en devenir une 35
silhouette irréelle d'inconsistance.

---

[16] **je ne me laisserai pas faire** c.-à-d., *je résisterai*

« C'est vous qui...? »

On eût pu croire que la voix venait d'ailleurs, comme celle d'un ventriloque qui fait jaillir les mots du plafond ou d'un vase de porcelaine.

Les yeux de Maigret riaient toujours tandis qu'il se levait et 5 prononçait avec une gravité encourageante, qui contrastait avec l'expression de sa physionomie :

« Remettez-vous, docteur !... J'entends des pas dans la cour... Dans quelques instants, l'assassin sera certainement entre ces quatre murs... » 10

Ce fut le maire que le gendarme introduisit le premier. Mais il y avait d'autres bruits de pas dans la cour.

✎ Exercices

I L'adverbe *bien* est souvent ajouté pour renforcer une idée, comme dans les phrases suivantes :
Il est *bien* malheureux.
Il a passé par *bien* des dangers.
Ta patronne pourrait *bien* te trouver deux jours de congé.

Reprenez les phrases suivantes en utilisant *bien*.

EX Ce sera dur au début. > Ce sera bien dur au début.

1 L'air était frais.
2 Quelques caractères étaient d'une lecture difficile.
3 J'ai compris ! dit Leroy.
4 Je serais heureux de le voir.
5 Vous êtes aimable.
6 Les gendarmes ont dû vous parler du drame de cette nuit.

II Transformez les phrases suivantes, en vous servant de l'expression *avoir besoin de*.

EX Maigret fait chercher un miroir. > Maigret a besoin d'un miroir.

1 Leroy profiterait des conseils de Maigret.
2 Emma écrit : « Je veux absolument te voir. »

3 Maigret ne va plus regarder le carnet.
4 Est-ce qu'il vous faut parler au douanier?
5 On vous donne tout ce qu'il vous faut?
6 Je veux le calme le plus absolu!

III Substituez *finir par* (+ verbe, au besoin) aux mots en italiques.

EX Ils *arriveront à* me tuer. > Ils *finiront par* me tuer.

1 Leroy croit qu'il *arrivera à* comprendre Maigret.
2 *A la fin*, Maigret *a examiné* les indices matériels.
3 *Un de ces jours* on *se mariera*.
4 Le maire *sera* sénateur.
5 Nous le *saurons à la longue*.
6 Nous *aurons* l'assassin entre ces quatre murs.

IV Répétez chacune des phrases suivantes en employant la forme convenable de l'adjectif entre parenthèses.

EX Le ciel était d'un bleu où scintillaient des nuées. (léger) >
Le ciel était d'un bleu où scintillaient de légères nuées.

1 Les journalistes se racontent des histoires. (éternel)
2 Le peigne avait des dents cassées. (nombreux)
3 Il y avait des feuilles de papier buvard. (grand)
4 On pouvait voir des drapeaux. (beau)
5 Il y a des barreaux. (gros)
6 Il y a eu des tentatives de meurtre. (nouveau)

V Substituez le mot *actuellement* à l'expression en italiques.

EX *En ce moment*, qu'est-ce qui se passe à Concarneau? > Qu'est-
ce qui se passe *actuellement* à Concarneau.

1 *A présent* la peur règne à Concarneau.
2 *A présent* la chambre du docteur est vide.
3 *En ce moment* le vagabond est avec Emma.
4 Nous attendons Jean Goyard *en ce moment*.
5 *En ce moment* le docteur est en prison.
6 *A présent* les autres arrivent.

VI Le mot *tenir* s'emploie au sens propre et au sens figuré. Dans les phrases suivantes, essayez de déterminer la signification exacte de ce verbe d'après le contexte, et pour chaque phrase, faites une phrase originale en employant l'expression d'une façon semblable.

EX Leroy tenait à deviner les méthodes de son chef. > Maigret tenait à trouver le coupable.

1 Si vous tenez à votre avancement, n'allez surtout pas prendre modèle sur moi.
2 On ne pouvait se tenir debout que dans la moitié de la pièce.
3 La détente était générale, et cela tenait peut-être au temps qui, tout à coup, s'était mis au beau.
4 Emma tenait bien l'hôtel.
5 Emma lui tenait ostensiblement le bras.
6 Est-ce que Maigret tient le vagabond pour coupable?
7 De qui est-ce que Maigret tient ses renseignements?
8 Le docteur, agité, ne pouvait se tenir en place.
9 Maigret, par contre, se tenait tout tranquille.
10 L'agitation de Michoux tient à plusieurs raisons.

❧ *Questions*

Imaginez que vous êtes Maigret. Répondez aux questions suivantes.

1 Comment se fait-il que vous êtes de bonne humeur ce matin?
2 Que pensez-vous de Leroy quand il dit qu'il commence à deviner vos méthodes?
3 Comment avez-vous conduit cette enquête? Comment conduirez-vous la prochaine?
4 Quels objets est-ce que vous avez pris du tiroir dans la chambre d'Emma?
5 Quel est le contenu de la lettre de Léon?
6 Pourquoi voulez-vous un miroir?
7 Pourquoi vouliez-vous voir un carnet de comptes d'Emma et pourquoi n'en avez-vous plus besoin?
8 Quels ordres avez-vous donnés à Leroy?

Maintenant imaginez que vous êtes le docteur Michoux.
Répondez aux questions suivantes.

1 D'où vient la bouteille de bourgogne dans votre cellule?
2 Comment vous sentez-vous? Qu'est-ce qui ne va pas?
3 De quoi avez-vous peur?
4 Quels sont vos rapports avec le maire?
5 De quoi voulez-vous convaincre Maigret?
6 Qu'est-ce qui vous fait sursauter tout à coup?

La «Belle-Emma»

∽ « Vous m'avez prié de venir, commissaire?... »

Maigret n'avait pas eu le temps de répondre qu'on voyait entrer dans la cour deux inspecteurs qui encadraient Jean Goyard, tandis qu'on devinait dans la rue, des deux côtés de la poterne, une foule agitée.

Le journaliste paraissait plus petit, plus grassouillet entre ses gardes du corps. Il avait rabattu son chapeau mou sur ses yeux et, par crainte des photographes, sans doute, il tenait un mouchoir devant le bas de son visage.

« Par ici! dit Maigret aux inspecteurs. Vous pourriez

peut-être aller nous chercher des chaises, car j'entends une voix féminine... »

Une voix aiguë, qui disait :

« Où est-il?... Je veux le voir immédiatement!... Et je vous ferai casser, inspecteur... Vous entendez?... Je vous ferai casser... »

C'était Mme Michoux, en robe mauve, avec tous ses bijoux, de la poudre et du rouge, qui haletait d'indignation.

« Ah! vous êtes ici, cher ami..., minauda-t-elle devant le maire. Imagine-t-on une histoire pareille?... Ce petit monsieur arrive chez moi alors que je ne suis même pas habillée. Ma domestique est en congé... Je lui dis à travers la porte que je ne puis pas le recevoir et il insiste, il exige, il attend pendant que je fais ma toilette en prétendant qu'il a ordre de m'amener ici... C'est tout bonnement[1] inouï...! Quand je pense que mon mari était député, qu'il a presque été président du Conseil et que ce... ce galapiat... oui, galapiat!... »

Elle était trop indignée pour se rendre compte de la situation. Mais soudain elle vit Goyard qui détournait la tête, son fils assis au bord de la couchette, la tête entre les mains. Une auto entrait dans la cour ensoleillée. Des uniformes de gendarme chatoyaient. Et de la foule, maintenant, partait une clameur.

On dut fermer la porte cochère pour empêcher le public de pénétrer de force dans la cour. Car la première personne que l'on tira littéralement de l'auto n'était autre que le vagabond. Non seulement il avait des menottes aux mains, mais encore on lui avait entravé les chevilles à l'aide d'une corde solide, si bien qu'il fallut le transporter comme un colis.

Derrière lui, Emma descendait, libre de ses mouvements, aussi ahurie que dans un rêve.

« Libérez-lui les jambes! »

Les gendarmes étaient fiers, encore émus de leur capture. Celle-ci n'avait pas dû être facile, à en juger par les uniformes en désordre et surtout par le visage du prisonnier, qui était complètement maculé du sang qui coulait encore de sa lèvre fendue.

Mme Michoux poussa un cri d'effroi, recula jusqu'au mur, comme à la vue d'une chose répugnante, tandis que l'homme se

[1] **tout bonnement** absolument

laissait délivrer sans mot dire, que sa tête se levait, qu'il regardait lentement, lentement autour de lui.

« Tranquille, hein, Léon !... » gronda Maigret.

L'autre tressaillit, chercha à savoir qui avait parlé.

« Qu'on lui donne une chaise et un mouchoir... » 5

Il remarqua que Goyard s'était glissé tout au fond de la cellule, derrière Mme Michoux, et que le docteur grelottait, sans regarder personne. Le lieutenant de gendarmerie, embarrassé par cette réunion insolite, se demandait quel rôle il avait à jouer.

« Qu'on ferme la porte !... Que chacun veuille prendre la 10 peine de s'asseoir... Votre brigadier est capable de nous servir de greffier, lieutenant ?... Très bien ! Qu'il s'installe à cette petite table... Je vous demande de vous asseoir aussi, monsieur le maire... »

La foule, dehors, ne criait plus, et pourtant on la sentait là, 15 on devinait dans la rue une vie compacte, une attente passionnée.

Maigret bourra une pipe, en marchant de long en large, se tourna vers l'inspecteur Leroy.

« Vous devriez téléphoner avant tout au syndic des gens de mer, à Quimper, pour lui demander ce qui est arrivé, voilà[2] 20 quatre ou cinq ans, peut-être six, à un bateau appelé *La Belle-Emma*... »

Comme l'inspecteur se dirigeait vers la porte, le maire toussa, fit signe qu'il voulait parler.

« Je puis vous l'apprendre, commissaire... C'est une histoire 25 que tout le monde connaît dans le pays...[3]

— Parlez... »

Le vagabond remua dans son coin, à la façon d'un chien hargneux. Emma ne le quittait pas des yeux, se tenait assise sur l'extrême bord de sa chaise. Le hasard l'avait placée à côté de 30 Mme Michoux, dont le parfum commençait à envahir l'atmosphère, une odeur sucrée de violette.

« Je n'ai pas vu le bateau, disait le maire avec aisance, avec peut-être un rien de pose.[4] Il appartenait à un certain Le Glen, ou Le Glérec, qui passait pour un excellent marin mais pour une 35

2 **voilà** il y a
3 **le pays** la région
4 **un rien de pose** un peu d'affectation

tête chaude... Comme tous les caboteurs du pays. *La Belle-Emma* transportait surtout des primeurs en Angleterre... Un beau jour, on a parlé d'une plus longue campagne... Pendant deux mois, on n'a pas eu de nouvelles... On a appris enfin que *La Belle-Emma* avait été arraisonnée en arrivant dans un petit port près de New 5 York, l'équipage conduit en prison et la cargaison de cocaïne saisie... Le bateau aussi, bien entendu... C'était l'époque où la plupart des bateaux de commerce, surtout ceux qui transportaient le sel à Terre-Neuve, se livraient à la contrebande de l'alcool...

— Je vous remercie... Bougez pas, Léon... Répondez-moi de 10 votre place... Et surtout, répondez exactement à mes questions, *sans plus!*... Vous entendez?... D'abord, où vous a-t-on arrêté tout à l'heure?... »

Le vagabond essuya le sang qui maculait son menton, prononça d'une voix rauque : 15

« A Rosporden...⁵ dans un entrepôt du chemin de fer où nous attendions la nuit pour nous glisser dans n'importe quel train...

— Combien d'argent aviez-vous en poche?... »

Ce fut le lieutenant qui répliqua : 20

« Onze francs et de la menue monnaie... »

Maigret regarda Emma, qui avait des larmes fluides sur les joues, puis la brute repliée sur elle-même. Il sentit que le docteur, bien qu'immobile, était en proie à une agitation intense et il fit signe à un des policiers d'aller se placer près de lui pour parer à 25 toute éventualité.

Le brigadier écrivait. La plume grattait le papier avec un bruit métallique.

« Racontez-nous exactement dans quelles conditions s'est fait ce chargement de cocaïne, Le Glérec... » 30

L'homme leva les yeux. Son regard, braqué sur le docteur, se durcit. Et, la bouche hargneuse, ses gros poings serrés, il grommela :

« La banque m'avait prêté de l'argent pour faire construire mon bateau... 35

— Je sais! Ensuite...

---

⁵ **Rosporden** *petite ville près de Quimper*

— Il y a eu une mauvaise année... Le franc remontait... L'Angleterre achetait moins de fruits... Je me demandais comment j'allais payer les intérêts... J'attendais, pour me marier avec Emma, d'avoir remboursé le plus gros...[6] C'est alors qu'un journaliste, que je connaissais parce qu'il était souvent à fureter dans le port, est venu me trouver... »

A la stupéfaction générale, Ernest Michoux découvrit son visage, qui était pâle, mais infiniment plus calme qu'on le supposait. Et il tira un carnet, un crayon de sa poche, écrivit quelques mots.

« C'est Jean Servières qui vous a proposé un chargement de cocaïne ?

— Pas tout de suite ! Il m'a parlé d'une affaire. Il m'a donné rendez-vous dans un café de Brest où il se trouvait avec deux autres...

— Le docteur Michoux et M. Le Pommeret ?

— C'est cela ! »

Michoux prenait de nouvelles notes et son visage avait une expression dédaigneuse. Il alla même à un certain moment jusqu'à esquisser un sourire ironique.

« Lequel des trois vous a mis le marché en main ? »[7]

Le docteur attendit, crayon levé.

« Aucun des trois... Ou plutôt ils ne m'ont parlé que de la grosse somme à gagner en un mois ou deux... Un Américain est arrivé une heure après... Je n'ai jamais su son nom... Je ne l'ai vu que deux fois... Sûrement un homme qui connaît la mer, car il m'a demandé les caractéristiques de mon bateau, le nombre d'hommes qu'il me faudrait à bord et le temps nécessaire à poser un moteur auxiliaire... Je croyais qu'il s'agissait de contrebande d'alcool... Tout le monde en faisait, même des officiers de paquebot... La semaine suivante, des ouvriers venaient installer un moteur semi-diesel sur *La Belle-Emma*... »

Il parlait lentement, le regard fixe, et c'était impressionnant de voir remuer ses gros doigts, plus éloquents, dans leurs gestes lents comme des spasmes, que son visage.

« On m'a remis une carte anglaise donnant tous les vents de

[6] **le plus gros** la plus grande partie de l'argent
[7] **vous... main** vous a proposé l'affaire

l'Atlantique et la route des voiliers, car je n'avais jamais fait la traversée... Je n'ai pris que deux hommes avec moi, par prudence, et je n'ai parlé de l'affaire à personne, sauf à Emma, qui était sur la jetée la nuit du départ... Les trois hommes étaient là aussi, près d'une auto qui avait éteint ses feux... Le chargement avait eu 5 lieu l'après-midi... Et, à ce moment-là, j'ai eu le trac... Pas tant à cause de la contrebande!... Je ne suis guère allé à l'école... Tant que je peux me servir du compas et de la sonde, ça va... Je ne crains personne... Mais là-bas, au large... Un vieux capitaine avait essayé de m'apprendre à manier le sextant pour faire le 10 point...[8] J'avais acheté une table de logarithmes et tout ce qu'il faut... Mais j'étais sûr de m'embrouiller dans les calculs... Seulement, si je réussissais, le bateau était payé et il me restait quelque chose comme vingt mille francs en poche... Il ventait furieusement, cette nuit-là... On a perdu de vue l'auto et les trois hom- 15 mes... Puis Emma, dont la silhouette se découpait en noir au bout de la jetée... Deux mois en mer... »

Michoux prenait toujours des notes, mais évitait de regarder l'homme qui parlait.

« J'avais des instructions pour le débarquement... On arrive 20 enfin Dieu sait comment dans le petit port désigné... On n'a pas encore lancé les amarres à terre que trois vedettes de la police, avec des mitrailleuses et des hommes armés de fusils, nous entourent, sautent sur le pont, nous mettent en joue en nous criant quelque chose en anglais et nous donnent des coups de 25 crosse jusqu'à ce que nous mettions haut les mains...

« Nous n'y avons vu que du feu,[9] tellement ça a été vite fait... Je ne sais pas qui a conduit mon bateau à quai, ni comment nous avons été fourrés dans un camion automobile. Une heure plus tard, nous étions chacun enfermés dans une cage de fer, à la 30 prison de Sing-Sing...

« On en était malade... Personne ne parlait le français... Des prisonniers nous lançaient des plaisanteries et des injures...

« Là-bas, ces sortes de choses vont vite... Le lendemain, nous passions devant une sorte de tribunal et l'avocat qui, paraît- 35 il, nous défendait, ne nous avait même pas adressé la parole!...

[8] **faire le point** calculer la position du bateau
[9] **Nous... feu** Nous n'y avons rien compris

« C'est après, seulement, qu'il m'a annoncé que j'étais condamné à deux ans de travaux forcés et à cent mille dollars d'amende, que mon bateau était confisqué, et tout... Je ne comprenais pas... Cent mille dollars !... Je jurai que je n'avais pas d'argent... Dans ce cas, c'était je ne sais combien d'années de prison en plus...

« Je suis resté à Sing-Sing... Mes matelots ont du être conduits dans une autre prison, car je ne les ai jamais revus... On m'a tondu... On m'a emmené sur la route pour casser des pierres... Un chapelain a voulu m'enseigner la Bible...

« Vous ne pouvez pas savoir... Il y avait des prisonniers riches qui allaient se promener en ville presque tous les soirs... Et les autres leur servaient de domestiques !...

« Peu importe... Ce n'est qu'après un an que j'ai rencontré, un jour, l'Américain de Brest, qui venait visiter un détenu... Je l'ai reconnu... Je l'ai appelé... Il a mis quelque temps à se souvenir, puis il a éclaté de rire et il m'a fait conduire au parloir.

« Il était très cordial... Il me traitait en[10] vieux camarade... Il m'a dit qu'il avait toujours été agent de la prohibition... Il travaillait surtout à l'étranger, en Angleterre, en France, en Allemagne, d'où il envoyait à la police américaine des renseignements sur les convois en partance...

« Mais, en même temps, il lui arrivait de trafiquer pour son compte...[11] C'était le cas pour cette affaire de cocaïne, qui devait rapporter des millions, car il y en avait dix tonnes à bord, à je ne sais combien de francs le gramme... Il s'était donc abouché avec des Français qui devaient fournir le bateau et une partie des fonds... C'étaient mes trois hommes... Et, naturellement, les bénéfices étaient à partager entre eux quatre...

« Mais attendez ! Car c'est le plus beau qu'il me reste à dire... Le jour même où l'on procédait au chargement, à Quimper, l'Américain reçoit un avis de son pays... Il y a un nouveau chef de la prohibition... La surveillance est renforcée... Les acheteurs des Etats-Unis hésitent et, de ce fait, la marchandise risque de ne pas trouver preneur...

« Par contre, un nouvel arrêté promet à tout homme qui

[10] en comme un
[11] son compte son profit personnel

fera saisir de la marchandise prohibée une prime s'élevant au tiers de la valeur de cette marchandise...

« C'est dans ma prison qu'on me raconte cela !... J'apprends que, tandis que je larguais mes amarres, anxieux, et que je me demandais si nous arriverions vivants sur l'autre bord de l'Atlan- 5 tique, mes trois hommes discutaient avec l'Américain, sur le quai même...

« Risquer le tout pour le tout?... C'est le docteur, je le sais, qui a insisté en faveur de la dénonciation... Du moins, de la sorte, était-ce un tiers du capital récupéré à coup sûr, sans risque 10 de complications...

« Sans compter que l'Américain s'arrangeait avec un collègue pour mettre à gauche[12] une partie de la cocaïne saisie. Des combines incroyables, je le sais !...

« La Belle-Emma glissait sur l'eau noire du port... Je regardais 15 une dernière fois ma fiancée, sûr de venir l'épouser quelques mois plus tard...

« Et ils savaient, eux qui nous regardaient partir, que nous serions cueillis[13] à notre arrivée !... Ils comptaient même que nous nous défendrions, que nous serions sans doute tués dans la 20 lutte, comme cela arrivait tous les jours à cette époque-là dans les eaux américaines...

« Ils savaient que mon bateau serait confisqué, qu'il n'était pas entièrement payé, que je n'avais rien d'autre au monde !...

« Ils savaient que je ne rêvais que de me marier... Et ils 25 nous regardaient partir !...

« C'est cela qu'on m'avouait, à Sing-Sing, où j'étais devenu une brute parmi d'autres brutes... On me donnait des preuves... Mon interlocuteur riait, s'écriait en se tapant les cuisses :

« — De jolies canailles, ces trois-là ! »   30

Il y eut un silence brusque, absolu. Et, dans ce silence, on eut la stupeur d'entendre le crayon de Michoux glisser sur une page blanche qu'il venait de tourner.

Maigret regarda — en comprenant — les initiales S-S tatouées sur la main du colosse : « Sing-Sing » !   35

---

[12] **mettre à gauche** mettre de côté
[13] **cueillis** arrêtés

« Je crois que j'en avais bien pour dix ans encore...[14] Dans ce pays-là, on ne sait jamais... La moindre faute contre le règlement, et la peine s'allonge, en même temps que pleuvent les coups de matraque... J'en ai reçu des centaines... Et des coups de mes compagnons!... Et c'est mon Américain qui a fait des démarches en ma faveur... Je crois qu'il était dégoûté par la lâcheté de ceux qu'il appelait mes amis... Je n'avais pour compagnon qu'un chien... Une bête que j'avais élevée à bord, qui m'avait sauvé de la noyade et que là-bas, malgré toute leur discipline, on avait laissé vivre dans la prison... Car ils n'ont pas les mêmes idées que nous sur ces sortes de choses... Un enfer!... N'empêche qu'on vous joue de la musique le dimanche, quitte à[15] vous rosser ensuite jusqu'au sang... A la fin, je ne savais même plus si j'étais encore un homme... J'ai sangloté cent fois, mille fois...

« Et quand, un matin, on m'a ouvert la porte, en me donnant un coup de crosse dans les reins pour me renvoyer à la vie civilisée, je me suis évanoui, bêtement, sur le trottoir... Je ne savais plus vivre... Je n'avais plus rien...

« Si! une chose... »

Sa lèvre fendue saignait. Il oubliait d'éponger le sang. Mme Michoux se cachait le visage de son mouchoir de dentelle dont l'odeur tournait le cœur. Et Maigret fumait tranquillement, sans quitter des yeux le docteur qui écrivait toujours.

« La volonté de faire subir le même sort à ceux qui étaient cause de toute cette débâcle!... Pas les tuer! Non!... Ce n'est rien de mourir... A Sing-Sing, j'ai essayé vingt fois, sans y parvenir... J'ai refusé de manger et on m'a nourri artificiellement... *Leur faire connaître la prison!* J'aurais voulu que ce fût en Amérique... Mais c'était impossible...

« J'ai traîné dans Brooklyn, où j'ai fait tous les métiers en attendant de pouvoir payer mon passage à bord d'un bateau... J'ai même payé pour mon chien...

« Je n'avais jamais eu de nouvelles d'Emma... Je n'ai pas mis les pieds à Quimper, où on aurait pu me reconnaître, malgré ma sale gueule...

---

[14] **j'en... encore** il me restait encore dix ans (de prison)
[15] **quitte à** c.-à-d., *en se réservant le droit de*

« Ici, j'ai appris qu'elle était fille de salle, et à l'occasion la maîtresse de Michoux... Peut-être des autres aussi?... Une fille de salle, n'est-ce pas?...

« Ce n'était pas facile d'envoyer mes trois saligauds en prison... Et j'y tenais!... Je n'avais plus que ce désir-là!... J'ai vécu avec mon chien à bord d'une barque échouée, puis dans l'ancien poste de veille, à la pointe du Cabélou...

« J'ai commencé à me montrer à Michoux... Rien que me montrer!... Montrer ma vilaine figure, ma silhouette de brute!... Vous comprenez?... Je voulais lui faire peur... Je voulais provoquer chez lui une frousse capable de le pousser à tirer sur moi!... J'y serais peut-être resté...[16] Mais après?... Le bagne, c'était pour lui!... Les coups de pied!... Les coups de crosse!... Les compagnons répugnants, plus forts que vous, qui vous obligent à les servir... Je rôdais autour de sa villa... Je me mettais sur son chemin... Trois jours!... quatre jours!... Il m'avait reconnu... Il sortait moins... Et pourtant, ici, pendant tout ce temps, la vie n'avait pas changé. Ils buvaient des apéritifs, tous les trois!... Les gens les saluaient!... Je volais de quoi manger aux étalages... Je voulais que ça aille vite... »

Une voix nette s'éleva :

« Pardon, commissaire! Cet interrogatoire, sans la présence d'un juge d'instruction, a-t-il une valeur légale? »

C'était Michoux!... Michoux blanc comme un drap, les traits tirés, les narines pincées, les lèvres décolorées. Mais Michoux qui parlait avec une netteté presque menaçante!

Un coup d'œil de Maigret ordonna à un agent de se placer entre le docteur et le vagabond. Il était temps! Léon Le Glérec se levait lentement, attiré par cette voix, les poings serrés, lourds comme des massues.

« Assis!... Asseyez-vous, Léon... »

Et tandis que la brute obéissait, la respiration rauque, le commissaire prononçait en secouant la cendre de sa pipe :

« C'est à moi de parler!... »

---

[16] **J'y serais peut-être resté** c.-à-d., *Il m'aurait peut-être tué*

∞ Exercices

I Reliez les deux phrases en employant *non seulement... mais encore*.

EX Il avait des menottes aux mains. On lui avait entravé les chevilles. > Non seulement il avait des menottes aux mains, mais encore on lui avait entravé les chevilles.

1 Madame Michoux avait mis de la poudre et du rouge. Elle avait tous ses bijoux.
2 L'Angleterre achetait moins de fruits. Le franc remontait.
3 Michoux prenait des notes. Il esquissa un sourire ironique.
4 Personne ne parlait le français. Des prisonniers nous lançaient des plaisanteries et des injures.
5 J'étais condamné à deux ans de travaux forcés et à cent mille dollars d'amende. Mon bateau était confisqué.
6 Ils savaient que nous serions cueillis à notre arrivée. Ils comptaient que nous serions tués dans la lutte.

II Transformez les phrases suivantes en vous servant de la construction *ne... que*.

EX Ils m'ont parlé seulement de la grosse somme à gagner en un mois ou deux. > Ils ne m'ont parlé que de la grosse somme à gagner en un mois ou deux.

1 Je l'ai vu seulement deux fois.
2 J'ai pris seulement deux hommes avec moi, par prudence.
3 C'est après, seulement, qu'il m'a annoncé que j'étais condamné.
4 C'est après un an seulement que j'ai rencontré l'Américain de Brest.
5 Ils savaient que je rêvais seulement de me marier.
6 Je voulais seulement les faire envoyer en prison.

III Transformez les phrases suivantes en employant un pronom personnel objet indirect et la forme convenable de *arriver (de)*.

EX Parfois l'Américain trafiquait pour son compte. > Il lui arrivait de trafiquer pour son compte.

1 Parfois *La Belle-Emma* transportait des légumes en Angleterre.
2 Parfois des prisonniers riches allaient se promener en ville.
3 Parfois ils vous jouent de la musique.
4 Parfois j'ai sangloté.
5 Parfois j'ai rôdé autour de sa villa.
6 Parfois Léon volait de quoi manger.

IV Répondez affirmativement aux questions suivantes.

EX Ne m'avez-vous pas prié de venir, commissaire? > Si, je vous ai prié de venir.

1 Les gendarmes, n'étaient-ils pas fiers de leur capture?
2 Ne pouvez-vous pas m'apprendre l'histoire de *La Belle-Emma*?
3 Au moment du départ, n'a-t-il pas eu le trac?
4 Ne savaient-ils pas que le bateau serait confisqué?
5 Pendant ces années, n'aviez-vous aucun compagnon?
6 Et Michoux, ne vous a-t-il pas reconnu?

V Dans les phrases suivantes, remplacez *comprendre* par *se rendre compte de*.

EX Elle était trop indignée pour comprendre la situation. > Elle était trop indignée pour se rendre compte de la situation.

1 Emma ne comprenait pas ce qui se passait.
2 Léon a compris ce qu'il fallait faire.
3 Est-ce qu'il le comprendra?
4 Nous avons enfin compris les complications.
5 Ils ont fini par le comprendre.
6 Allez-vous finalement comprendre la situation?

VI Le sens de beaucoup d'adjectifs varie selon leur position. En général, placés après le nom, ils conservent leur sens propre et objectif; avant le nom, ils prennent souvent une signification figurée et subjective.

EX un homme pauvre = un homme qui a peu d'argent
un pauvre homme = un homme qui est à plaindre

un personnage triste = un personnage qui éprouve du chagrin
un triste personnage = un personnage qui est médiocre ou méprisable

Cette règle générale est valable aussi pour les adjectifs qui se placent ordinairement avant le nom.

EX un écrivain petit = un écrivain de petite taille
un petit écrivain = un écrivain qui est sans importance

un poète méchant = un poète porté au mal
un méchant poète = un poète qui ne vaut rien

Etudiez l'emploi des adjectifs dans les exemples suivants. Faites des phrases originales en employant chaque adjectif d'abord au sens propre, ensuite au sens figuré.

1 une maison *ancienne* (qui date depuis longtemps)
   un *ancien* poste de veille (qui n'est plus en fonction)
2 les sens *différents* (qui ne sont pas semblables)
   de *différentes* personnes (divers)
3 la *dernière* semaine du mois (qui vient après tous les autres)
   la semaine *dernière* (qui est le plus proche du temps actuel)
4 un fait *certain* (indubitable)
   à un *certain* moment (un, quelque)
5 un homme *grand* (qui a des dimensions plus qu'ordinaires)
   un *grand* poète (qui se distingue par des qualités intellectuelles, morales, etc.)
6 une théorie *nouvelle* (qui n'existe ou n'est connu que depuis peu de temps)
   de *nouvelles* notes (différent de ce qui précède)
7 un soldat *brave* (courageux)
   une *brave* femme (bon, généreux, obligeant)
8 des mains *sales* (malpropre)
   sa *sale* gueule (qui est contraire à la délicatesse; désagréable)
9 une femme *seule* (sans compagnie)
   un *seul* Dieu (unique)

❧ Questions

1 De quoi se plaint Mme Michoux?
2 Qui sont les différentes personnes réunies dans la cellule?
3 Qu'est-ce qu'il y avait à bord de *La Belle-Emma* quand le
  bateau entra dans le petit port près de New York?
4 Pourquoi Léon avait-il accepté de prendre ce chargement?
  Savait-il ce dont il s'agissait?
5 Qui sont les autres qui ont participé à ce crime?
6 Quels sont les sentiments de Léon au moment du départ?
  Pourquoi?
7 Que se passe-t-il quand le bateau arrive aux Etats-Unis?
8 Quelle est votre impression de ce que raconte Léon au sujet
  de son séjour à Sing-Sing? Est-ce que ce qu'il dit vous paraît
  vraisemblable? Discutez.
9 Pour qui travaillait l'Américain? Expliquez.
10 A quel moment est-ce que l'Américain apprend qu'il y a un
   nouveau chef de la prohibition?
11 Quelle est l'importance du nouvel arrêté?
12 Pourquoi Léon en veut-il tellement au docteur?
13 Quel était le seul compagnon de Léon?
14 Que fait Léon après être sorti de Sing-Sing?
15 Quelle était l'idée fixe de Léon? Par quelles actions est-ce
   qu'elle se manifestait?

La Peur

∾ Sa voix basse, son débit rapide, contrastèrent avec le discours passionné du marin qui le regardait de travers.

« Un mot d'abord sur Emma, messieurs… Elle apprend que
son fiancé a été arrêté… Elle ne reçoit plus rien de lui… Un jour,
pour une cause futile, elle perd sa place et devient fille de salle à   5
l'hôtel de l'Amiral… C'est une pauvre fille, qui n'a aucune attache
… Des hommes lui font la cour comme de riches clients font la
cour à une servante… Deux ans, trois ans ont passé… Elle ignore
que Michoux est coupable… Elle le rejoint, un soir, dans sa
chambre… Et le temps passe toujours, la vie coule …Michoux a   10

d'autres maîtresses... De temps en temps, la fantaisie lui prend de coucher à l'hôtel... Ou bien, quand sa mère est absente, il fait venir Emma chez lui... Des amours ternes, sans amour... Et la vie d'Emma est terne... Elle n'est pas une héroïne... Elle garde dans une boîte de coquillages une lettre, une photo, mais ce n'est 5 qu'un vieux rêve qui pâlit chaque jour davantage...

« Elle ne sait pas que Léon vient de revenir...

« Elle n'a pas reconnu le chien jaune qui rôde autour d'elle et qui avait quatre mois quand le bateau est parti...

« Une nuit, Michoux lui dicte une lettre, sans lui dire à 10 qui elle est destinée... Il s'agit de donner rendez-vous à quelqu'un dans une maison inhabitée, à onze heures du soir...

« Elle écrit... Une fille de salle !... Vous comprenez ?... Léon Le Glérec ne s'est pas trompé... Michoux a peur !... Il sent sa vie en danger... Il veut supprimer l'ennemi qui rôde... 15

« Mais c'est un lâche !... Il a éprouvé le besoin de me le crier lui-même !... Il se cachera derrière une porte, dans un corridor, après avoir fait parvenir la lettre à sa victime en l'attachant par une ficelle au cou du chien...

« Est-ce que Léon se méfiera ?... Est-ce qu'il ne voudra pas 20 revoir malgré tout son ancienne fiancée ?... Au moment où il frappera à la porte, il suffira de tirer à travers la boîte aux lettres, de fuir par la ruelle... Et le crime restera d'autant plus un mystère que nul ne reconnaîtra la victime !...

« Mais Léon se méfie... Il rôde peut-être sur la place... 25 Peut-être va-t-il se décider à aller quand même au rendez-vous ?... Le hasard veut que M. Mostaguen sorte à cet instant du café, légèrement pris de boisson,[1] qu'il s'arrête sur le seuil pour allumer son cigare... Son équilibre est instable... Il heurte la porte... C'est le signal... Une balle l'atteint en plein ventre... 30

« Voilà la première affaire... Michoux a raté son coup... Il est rentré chez lui... Goyard et Le Pommeret, qui sont au courant et qui ont le même intérêt à la disparition de celui qui les menace tous les trois, sont terrorisés...

« Emma a compris à quel jeu on l'avait fait jouer... Peut- 35 être a-t-elle aperçu Léon ?... Peut-être son esprit a-t-il travaillé et a-t-elle identifié enfin le chien jaune ?...

---

[1] pris de boisson ivre

« Le lendemain, je suis sur les lieux... Je vois les trois hommes... Je sens leur terreur... *Ils s'attendent à un drame!*... Et je veux savoir d'où ils croient que doit venir le coup... Je tiens à m'assurer que je ne me trompe pas...

« C'est moi qui empoisonne une bouteille d'apéritif, maladroitement... Je suis prêt à intervenir au cas où quelqu'un boirait... Mais non!... Michoux veille!... Michoux se méfie de tout, des gens qui passent, de ce qu'il boit... Il n'ose même plus quitter l'hôtel... »

Emma s'était figée dans une immobilité telle qu'on n'eût pu trouver image plus saisissante de la stupeur. Et Michoux avait redressé la tête un instant, pour regarder Maigret dans les yeux. Maintenant, il écrivait fiévreusement.

« Voilà le second drame, monsieur le maire! Et notre trio vit toujours, continue à avoir peur... Goyard est le plus impressionnable des trois, sans doute aussi le moins mauvais bougre... Cette histoire d'empoisonnement l'a mis hors de lui... Il sent qu'il y passera[2] un jour ou l'autre... Il me devine sur la piste... Et il décide de fuir... Fuir sans laisser de traces... Fuir sans qu'on puisse l'accuser d'avoir fui... Il feindra une agression, laissera croire qu'il est mort et que son corps a été jeté dans l'eau du port...

« Auparavant, la curiosité le pousse à fureter chez Michoux, peut-être à la recherche de Léon et pour lui proposer la paix... Il y trouve des traces du passage de la brute. Ces traces, il comprend que je ne vais pas tarder à les découvrir à mon tour.

« Car il est journaliste!... Il sait par surcroît combien les foules sont impressionnables... Il sait que tant que Léon vivra il ne sera en sûreté nulle part... Et il trouve quelque chose de vraiment génial :[3] l'article, écrit de la main gauche et envoyé au *Phare de Brest*...

« On y parle du chien jaune, du vagabond... Chaque phrase est calculée pour semer la terreur à Concarneau... Et, de la sorte, il y a des chances, si des gens aperçoivent l'homme aux grands pieds, que celui-ci reçoive une charge de plomb dans la poitrine...

« Cela a failli arriver!... On a commencé par tirer sur le

---

[2] **qu'il y passera** c.-à-d., *que son tour viendra*
[3] **génial** brillant (inspiré par le génie)

chien... On aurait tiré de même sur l'homme!... Une population affolée est capable de tout...

« Le dimanche, en effet, la terreur règne en ville... Michoux ne quitte pas l'hôtel... Il est malade de peur... Mais il reste bien décidé à se défendre jusqu'au bout, *par tous les moyens*...   5

« Je le laisse seul avec Le Pommeret... J'ignore ce qui se passe alors entre eux... Goyard a fui... Le Pommeret, lui, qui appartient à une honorable famille du pays, doit être tenté de faire appel à la police, de tout révéler plutôt que de continuer à vivre ce cauchemar... Que risque-t-il?... Une amende!... Un 10 peu de prison!... A peine!... Le principal délit a été commis en Amérique...

« Et Michoux, qui le sent faiblir, qui a le meurtre de Mostaguen sur la conscience, qui veut en sortir coûte que coûte[4] par ses propres moyens, n'hésite pas à l'empoisonner...   15

« Emma est là... N'est-ce pas elle qu'on soupçonnera?...

« Je voudrais vous parler plus longuement de la peur, parce que c'est elle qui est à la base de tout ce drame. Michoux a peur... Michoux veut vaincre sa peur plus encore que son ennemi...

« Il connaît Léon Le Glérec. Il sait que celui-ci ne se laissera 20 pas arrêter sans résistance... Et il compte sur une balle, tirée par les gendarmes ou par quelque habitant effrayé pour en finir...

« Il ne bouge pas d'ici... J'apporte le chien blessé, mourant... Je veux savoir si le vagabond viendra le chercher et il vient...

« On n'a plus vu la bête depuis et cela me prouve qu'elle est 25 morte... »

Ce fut un simple bruit dans la gorge de Léon.

« Oui...

— Vous l'avez enterrée?...

— Au Cabélou... Il y a une petite croix, faite de deux branches 30 de sapin...

— La police trouve Léon Le Glérec. Il s'enfuit, parce que sa seule idée est de forcer Michoux à l'attaquer... Il l'a dit : *il veut le voir en prison*... Mon devoir est d'empêcher un nouveau drame et c'est pourquoi j'arrête Michoux, tout en lui affirmant 35 que c'est pour le mettre en sûreté... Ce n'est pas un mensonge... Mais, par la même occasion, j'empêche Michoux de commettre

[4] **coûte que coûte** à tout prix

d'autres crimes... Il est à bout...[5] Il est capable de tout... Il se sent traqué de toutes parts...

« N'empêche qu'il est encore capable de jouer la comédie,[6] de me parler de sa faiblesse de constitution, de mettre sa frousse sur le compte du[7] mysticisme et d'une vieille prédiction inventée de toutes pièces...

« Ce qu'il lui faut, c'est que la population se décide à abattre son ennemi...

« Il sait qu'il peut être logiquement soupçonné de tout ce qui s'est passé jusque-là... Seul dans cette cellule, il se creuse la tête...

« N'y a-t-il pas un moyen de détourner définitivement les soupçons?... Qu'un nouveau crime soit commis, alors qu'il est sous les verrous, qu'il a le plus éclatant de tous les alibis?...

« Sa mère vient le voir... Elle sait tout... Il faut qu'elle ne puisse être soupçonnée, ni rejointe par des poursuivants... Il faut qu'elle le sauve!...

« Elle dînera chez le maire. Elle se fera reconduire à sa villa où la lampe ne s'éteindra pas de la soirée... Elle reviendra en ville à pied... Tout le monde dort?... Sauf au café de l'Amiral!... Il suffit d'attendre que quelqu'un sorte, de le guetter à un coin de rue...

« Et, pour l'empêcher de courir, c'est à la jambe qu'on le visera...

« Ce crime-là, totalement inutile, est la pire des charges contre Michoux, si nous n'en avions déjà d'autres... Le matin, quand j'arrive ici, il est fébrile... Il ne sait pas que Goyard a été arrêté à Paris... Il ignore surtout qu'au moment où le coup de feu a été tiré sur le douanier, j'avais le vagabond sous les yeux...

« Car Léon, poursuivi par la police et la gendarmerie, est resté dans le pâté de maisons... Il a hâte d'en finir... Il ne veut pas s'éloigner de Michoux...

« Il dort dans une chambre de l'immeuble vide... De sa fenêtre, Emma l'aperçoit... Et la voilà qui le rejoint... Elle lui

---

[5] **Il est à bout** Il n'en peut plus
[6] **jouer la comédie** c.-à-d., *essayer de me duper*
[7] **de mettre... du** d'attribuer sa peur au

crie qu'elle n'est pas coupable !... Elle se jette, elle se traîne à
ses genoux...

« C'est la première fois qu'il la revoit en face, qu'il entend
à nouveau le son de sa voix... Elle a été à un autre, à d'autres...

« Mais que n'a-t-il pas vécu, lui?... Son cœur fond... Il la 5
saisit d'une main brutale, comme pour la broyer, mais ce sont ses
lèvres qu'il écrase sous les siennes...

« Il n'est plus l'homme tout seul, l'homme d'un but, d'une
idée... Dans ses larmes, elle lui a parlé d'un bonheur possible,
d'une vie à recommencer... 10

« Et ils partent tous les deux, sans un sou, dans la nuit...
Ils vont n'importe où !... Ils abandonnent Michoux à ses terreurs...

« Ils vont essayer quelque part d'être heureux... »

Maigret bourra sa pipe, lentement, en regardant tour à tour
toutes les personnes présentes. 15

« Vous m'excuserez, monsieur le maire, de ne pas vous
avoir tenu au courant de mon enquête... Mais, quand je suis
arrivé ici, j'ai eu la certitude que le drame ne faisait que commencer... Pour en connaître les ficelles, il fallait lui permettre de
se développer en évitant autant que possible les dégâts... Le Pom- 20
meret est mort, assassiné par son complice... Mais, tel que je l'ai
vu, je suis persuadé qu'il se serait tué lui-même le jour de son
arrestation... Un douanier a reçu une balle dans la jambe...
Dans huit jours il n'y paraîtra plus...[8] Par contre, je puis signer
maintenant un mandat d'arrêt contre le docteur Ernest Michoux 25
pour tentative d'assassinat et blessures sur la personne de M.
Mostaguen et pour empoisonnement volontaire de son ami Le
Pommeret. Voici un autre mandat contre Mme Michoux pour
agression nocturne... Quant à Jean Goyard, dit Servières, je
crois qu'il ne peut guère être poursuivi que pour outrage à la 30
magistrature, par le fait de la comédie qu'il a jouée... »

Ce fut le seul incident comique. Un soupir ! Un soupir
heureux, aérien, poussé par le journaliste grassouillet. Et il eut
le culot de balbutier :

« Je suppose, dans ce cas, que je puis être laissé en liberté 35
sous caution?... Je suis prêt à verser cinquante mille francs...

[8] **il n'y paraîtra plus** voir note 5, p. 103

— Le Parquet[9] appréciera, monsieur Goyard... »

Mme Michoux s'était écroulée sur sa chaise, mais son fils avait plus de ressort qu'elle.

« Vous n'avez rien à ajouter? lui demanda Maigret.

— Pardon! Je répondrai en présence de mon avocat. En attendant, je fais toutes réserves sur la légalité de cette confrontation... »

Et il tendait son cou de jeune coq maigre, où saillait une pomme d'Adam jaunâtre. Son nez paraissait plus oblique que de coutume. Il n'avait pas lâché le carnet où il avait pris des notes.

« Ces deux-là?... murmura le maire en se levant.

— Je n'ai absolument aucune charge contre eux. Léon Le Glérec a avoué que son but était d'amener Michoux à tirer sur lui... Pour cela, il n'a fait que se montrer... Il n'existe pas de texte de loi qui...

— A moins que pour vagabondage... », intervint le lieutenant de gendarmerie.

Mais le commissaire haussa les épaules de telle façon qu'il rougit de sa suggestion.

🙰

Bien que l'heure du déjeuner fût passée depuis longtemps, il y avait foule dehors et le maire avait consenti à prêter sa voiture, dont les rideaux fermaient à peu près hermétiquement.

Emma y monta la première, puis Léon Le Glérec, puis enfin Maigret qui prit place dans le fond avec la jeune femme tandis que le marin s'asseyait gauchement sur un strapontin.

On traversa la foule en vitesse. Quelques minutes plus tard, on roulait vers Quimperlé[10] et Léon, gêné, le regard flou, questionnait:

« Pourquoi avez-vous dit ça?...

— Quoi?...

— Que c'est vous qui avez empoisonné la bouteille? »

Emma était toute pâle. Elle n'osait pas s'adosser aux coussins et c'était sans doute la première fois de sa vie qu'elle roulait en limousine.

[9] **Le Parquet** le tribunal
[10] **Quimperlé** petit port et marché agricole du Finistère

« Une idée !... » grommela Maigret en serrant de ses dents le tuyau de sa pipe.

Et la jeune fille, alors, de s'écrier,[11] en détresse :

« Je vous jure, monsieur le commissaire, que je ne savais plus ce que je faisais !... Michoux m'avait fait écrire la lettre... J'avais fini par reconnaître le chien... Le dimanche matin, j'ai vu Léon qui rôdait... Alors, j'ai compris... J'ai essayé de parler à Léon et il est parti sans même me regarder, en crachant par terre... J'ai voulu le venger... J'ai voulu... Je ne sais pas, moi !... J'étais comme folle... Je savais qu'ils voulaient le tuer... Je l'aimais toujours... J'ai passé la journée à rouler des idées dans ma tête... C'est à midi, pendant le déjeuner, que j'ai couru à la villa de Michoux pour prendre le poison... Je ne savais pas lequel choisir... Il m'avait déjà montré des fioles en me disant qu'il y avait de quoi tuer tout Concarneau...

« Mais je vous jure que je ne vous aurais pas laissé boire... Du moins, je ne crois pas... »

Elle sanglotait. Léon, maladroitement, lui tapotait le genou pour la calmer.

« Je ne pourrai jamais vous remercier, commissaire, criait-elle entre ses sanglots... Ce que vous avez fait c'est... c'est... je ne trouve pas le mot... c'est tellement merveilleux !... »

Maigret les regardait l'un et l'autre, lui avec sa lèvre fendue, ses cheveux ras et sa face de brute qui essaie de s'humaniser, elle avec sa pauvre tête blêmie dans cet aquarium du café de l'Amiral.

« Qu'est-ce que vous allez faire ?...

— On ne sait pas encore... Quitter le pays... Gagner Le Havre,[12] peut-être ?... J'ai bien trouvé le moyen de gagner ma vie sur les quais de New York...

— On vous a rendu vos douze francs ? »

Léon rougit, ne répondit pas.

« Que coûte le train d'ici au Havre ?...

— Non ! Ne faites pas ça, commissaire... Parce qu'alors... on ne saurait comment... Vous comprenez ?... »

Maigret frappa du doigt la vitre de la voiture, car on passait

[11] **Et la jeune fille... de s'écrier** Et la jeune fille s'écria. *Cette construction (et... de s'écrier), appelée l'infinitif historique, se rapporte toujours au passé et exprime une action qui débute vivement.*
[12] **Le Havre** *grand port de Normandie*

devant une petite gare. Il tira deux billets de cent francs de sa poche.

« Prenez-les... Je les mettrai sur ma note de frais... »

Et il les poussa presque dehors, referma la portière alors qu'ils cherchaient encore des remerciements.

« A Concarneau !... En vitesse !... »

Tout seul dans la voiture, il haussa au moins trois fois les épaules, comme un homme qui a une rude envie de se moquer de lui.

❧

Le procès a duré un an. Pendant un an, le docteur Michoux s'est présenté jusqu'à cinq fois par semaine chez le juge d'instruction, avec une serviette de maroquin bourrée de documents.

Et à chaque interrogatoire il y eut de nouveaux sujets de chicane.

Chaque pièce du dossier donna lieu à des controverses, à des enquêtes et à des contre-enquêtes.

Michoux était toujours plus maigre, plus jaune, plus souffreteux, mais il ne désarmait pas.

« Permettez à un homme qui n'en a plus pour trois mois à vivre... »

C'était sa phrase favorite. Il se défendit pied à pied,[13] avec des manœuvres sournoises, des ripostes inattendues. Et il avait découvert un avocat plus bilieux que lui qui le relayait.

Condamné à vingt ans de travaux forcés par la Cour d'assises du Finistère, il espéra six mois durant que son affaire irait en Cassation.

Mais une photographie vieille d'un mois à peine, parue dans tous les journaux, le montre, toujours maigre et jaune, le nez de travers, le sac au dos, le calot sur la tête, s'embarquant à l'île de Ré[14] sur le *La-Martinière* qui conduit cent quatre-vingts forçats à Cayenne.[15]

A Paris, Mme Michoux, qui a purgé une peine de trois mois

[13] **pied à pied** avec obstination
[14] **l'île de Ré** *île dans l'Atlantique à l'ouest de La Rochelle*
[15] **Cayenne** *capitale de la Guyane française (en Amérique du sud). Cette colonie était pendant longtemps le lieu de déportation des condamnés aux travaux forcés. C'est là que se trouve la célèbre île du Diable.*

de prison, intrigue dans les milieux politiques. Elle prétend obtenir la revision du procès.

Elle a déjà deux journaux pour elle.

Léon Le Glérec pêche le hareng en mer du Nord, à bord de *La Francette*, et sa femme attend un bébé. 5

✋ Exercices

I Reprenez les phrases suivantes en employant le verbe *ignorer*.

EX Elle ne sait pas qui est coupable. > Elle ignore qui est coupable.

1 Elle ne sait pas que Léon vient de revenir.
2 Emma ne sait pas à qui la lettre est destinée.
3 Le docteur ne sait pas que c'est Mostaguen.
4 Maigret ne sait pas ce qui se passe entre Le Pommeret et Michoux.
5 Le docteur ne sait pas que Goyard a été arrêté à Paris.
6 Michoux ne sait pas qu'à ce moment Maigret regardait Léon.

II Dans chacune des phrases suivantes remplacez *décider de* par *se décider à*. (Notez que *se décider à* suggère que la délibération s'est prolongée pendant un certain temps.)

EX Il a décidé d'aller quand même au rendez-vous. > Il s'est décidé à aller quand même au rendez-vous.

1 Goyard décide de fuir.
2 Michoux a décidé de se défendre jusqu'au bout.
3 Il voudrait que la population décide d'abattre son ennemi.
4 La mère décide de le sauver.
5 Ils ont décidé de partir, tous les deux.
6 J'ai décidé de signer un mandat d'arrêt.

III Reprenez les phrases suivantes selon l'exemple.

EX Peut-être qu'elle a aperçu Léon. > Peut-être a-t-elle aperçu Léon.

1 Peut-être qu'elle a enfin identifié le chien.
2 Peut-être que la curiosité le pousse à la recherche de Léon.
3 Peut-être que Le Pommeret est tenté de faire appel à la police.
4 Peut-être qu'il y a un moyen de détourner définitivement les soupçons.
5 Peut-être qu'elle l'aurait laissé boire.
6 Peut-être qu'elle obtiendra la revision du procès.

IV Reprenez les phrases suivantes en employant l'expression *ne pas tarder à*.

EX Je trouverai bientôt les traces. > Je ne tarderai pas à trouver les traces.

1 Le Pommeret ira bientôt à la police.
2 Le vagabond viendra bientôt chercher le chien.
3 Le docteur a bientôt trouvé un moyen.
4 La mère reviendra bientôt en ville.
5 Le douanier s'est bientôt rétabli.
6 Ils ont bientôt quitté le pays.

V Reprenez les phrases suivantes en vous servant de *faillir*.

EX Il a été sur le point de le tuer. > Il a failli le tuer.

1 J'ai été sur le point d'intervenir.
2 On a été sur le point de tirer sur l'homme.
3 Il a été sur le point de la renvoyer.
4 Elle n'a presque pas reconnu le chien.
5 Ils sont presque partis sans argent.
6 L'affaire est presque allée en Cassation.

VI Complétez les phrases suivantes en employant un seul mot.

1 De temps en temps la ———— lui prend de coucher à l'hôtel.
2 Dans la lettre il s'agit de ———— rendez-vous à quelqu'un dans une maison inhabitée.
3 Léon est à Concarneau, Michoux a raté son coup. Goyard et Le Pommeret sont au ———— et sont terrorisés.

4 Je suis prêt à intervenir au ———— où quelqu'un boirait.

5 Ces traces, il comprend que je ne vais pas tarder à les découvrir à mon ————.

6 Michoux, qui veut en sortir coûte que ———— par ses propres moyens, n'hésite pas à l'empoisonner.

7 Michoux est capable de tout car il est à ————.

8 Il ignore qu'au moment où le coup de feu a été tiré sur le douanier, j'avais le vagabond sous les ————.

9 Mais le commissaire ———— les épaules de telle façon qu'il rougit de sa suggestion.

10 Il m'avait déjà montré des fioles en me disant qu'il y avait de ———— tuer tout Concarneau.

✑ Questions

1 Il est évident, d'après le résumé des événements que donne Maigret, que le lecteur n'a pas toujours accompagné le commissaire dans ses recherches. Il y a des détails que nous apprenons pour la première fois. Il y en a même que Maigret aurait eu de la difficulté à apprendre. Quels sont quelques-uns de ces détails?

2 Expliquez pourquoi on a tiré sur Mostaguen.

3 Pourquoi est-ce que Goyard a envoyé un article au *Phare de Brest*?

4 Pourquoi Le Pommeret était-il tenté de faire appel à la police?

5 Qu'est devenu le chien jaune?

6 Comment se manifeste la compassion de Maigret? Soyez précis.

7 Expliquez les raisons du dernier crime. Comment s'est-il accompli?

8 Pourquoi à votre avis Maigret se sent-il obligé de faire remarquer que Le Pommeret se serait tué lui-même le jour de son arrestation?

9 Que se passe-t-il dans la voiture du maire?

10 Qu'est devenu le docteur Michoux? Et sa mère? Et les Le Glérec?

Vocabulaire

This vocabulary does not include certain basic articles, pronouns, adjectives, and conjunctions; most regular adverbs ending in -**ment**; numbers, days of the week, and months; easily recognizable cognates. An asterisk is used to indicate aspirate **h**.

A

à to; at; with; in; from; until; about

abandonner to abandon, give up

abattre to strike down; to kill; s'— to crash down

abord :d'— first, at first, first of all

aboucher s'— (avec) to contact, get in touch (with)

abri *m* shelter; à l'— de sheltered from; se mettre à l'— to take shelter

abricot *m* apricot

abriter to shelter; s'— to take shelter

absinthe *f* *alcoholic drink very detrimental to health, at present illegal in France*

absolu absolute

acajou *m* mahogany; deep brown color

accentuer to accent, emphasize

accès *m* access

accord: d'— in agreement

accouder s'— to lean on one's elbow(s)

accourir to hurry over

accoutumer s'— à to get used to

accrocher to catch hold of, hook

accroître to add to

accueillir to receive, greet

acharner s'— sur to torment

acheminer s'— to be on one's way to a place

acheter to buy

acheteur *m* buyer

achever to finish, dispatch; to put an animal out of pain

acier *m* steel

à-côtés *m pl* by-ways, sidelines

âcre pungent

actrice *f* actress

actuel present

actuellement at present

adjoint (au maire) *m* deputy mayor

adosser s'— to lean back against

adresser s'— (à) to speak (to)

affaire *f* business, job, case, deal; *pl* things, business

affairé busy

affalé (sur) sunk (into)

affectif emotional

affectueux affectionate

affiche *f* sign, poster, notice

affolé panic-stricken

affoler s'— to panic

affreux frightful

affût: être à l'— to lurk, lie in wait

afin de in order to

afin que so that, in order that

âgé old

agenda *m* memorandum book, appointment book

agenouiller s'— to kneel

agent de police *m* policeman

agir to act

agir: s'— de to concern, be a question of, be the matter

agiter s'— to get excited, agitated; to squirm, fidget

agonie *f* death agony

agricole agricultural

ahuri bewildered

ahurissement *m* bewilderment

aigu shrill

aide *f* help; à l'— de with the help of

aider to help

aiguillon *m* goad

ailé winged

ailleurs elsewhere; d'— besides, moreover

aimable kind

aimer to love, like; — mieux to prefer

ainsi thus, so; — que as well as, as; en être — to be the case

air *m* air, appearance, look, manner; avoir l'— to look, seem

aisance *f* ease

ajouter to add

alcool *m* alcohol

aligner to aline, line up; — des chiffres itemize the expense, to itemize an account

aliments *m pl* food
allée *f* lane, path (*garden*)
allées et venues *f pl* coming and going
allégresse *f* cheerfulness
aller to go; **s'en** — to go away, go off
allô hello (*telephone*)
allonger s' — to stretch out, grow longer
allons! come on now!
allumer to light
allumette *f* match
allure *f* gait, pace, speed; appearance
alors then; well then
alors que when, as; even though
amadou *m* tinder
amant *m* lover
amarres *f pl* moorings
ambiant surrounding
amende *f* fine
amener to bring, lead hither
ami *m* friend
amiral *m* admiral
amour *m* love (*usually f in pl*)
ancien old, ancient; former
ancre *f* anchor
anéantir to annihilate, destroy utterly
ange *m* angel
anglais English
angle *m* angle, corner
Angleterre *f* England
angoissant alarming
angoisse *f* anguish
année *f* year
annoncer to announce
annuaire *m* directory
anormal abnormal
apercevoir to perceive, see, notice
aperçu *m* glimpse, view
apéritif *m* a before-dinner drink
aplomb *m* equilibrium, uprightness; **d'**— upright, balanced; straight
apparaître to appear
appareil *m* apparatus, instrument; telephone
apparence *f* appearance
apparent visible

appartenir to belong
appel: faire — **(à)** to appeal (to)
appeler to call; **s'**— to be called, be named
appliquer s'— **(à)** to apply (to)
apport *m* action of bringing; — **de capitaux** contribution of capital
apporter to bring
apprécier to appraise; to determine
apprendre to learn; to teach, inform
après after; **d'**— according to; **et** —? what then?
après-midi *m* or *f* afternoon
approcher to approach, draw near; **s'**— **(de)** to come close (to)
appuyer s'— to lean on
archipel *m* group of islands
ardoise *f* slate
arête *f* fish bone
argent *m* money; silver
argenté silvery
arme *f* arm, weapon
armée *f* army
armer to arm; to cock (*firearm*)
armoire *f* wardrobe; cabinet
arpenter to stride (along)
arracher to tear, pull (up, out, off); to snatch (away)
arraisonner to stop and examine a ship
arrestation *f* arrest
arrêté *m* order, decree
arrêter to arrest, stop; **s'**— to stop
arrière: en — backward
arrière-port *m* inner harbor
arrière-train *m* hindquarters
arrivée *f* arrival
arriver to arrive; to happen; to succeed **en** — **à** to come to (the point of)
assaillir to assault, attack
assassinat *m* murder
asseoir s'— to sit down
assez enough, sufficient, sufficiently; rather

assiette f plate; stable position **ne pas être dans son assiette** to feel out of sorts

assister (à) to attend, be present (at); to help, assist

assoupir s'— to doze off

assourdir to muffle; to deafen

assuré: mal — unsure, unsteady

assurer to assure

attablé seated at a table

attachant engaging, winning, interesting

attache f attachment, tie

attardé belated; late

atteindre to reach; to hit, wound

atteint hit

attendant : en — in the meantime

attendre to wait, expect; **s'— à** to expect (something)

attente f waiting

attenter (à) to make an attempt (on, against)

attention: faire — à to watch out for

attirer to attract, draw

attrister to sadden, give a gloomy appearance to

aucun any; **ne. . . aucun** no, no one, not any

au-delà beyond

au-dessus above (it); **— de** above, over

au-devant de: aller — to go to meet

aujourd'hui today

auparavant previously

aussi as, so, also

autant as much, just as soon; **d'— plus** all the more so

auteur m author

autour (de) around

autre other, different

autrement otherwise; **— dit** in other words

auvent m open shed

avaler to swallow

avance: d'— in advance

avancée f advance

avancer s'— to move forward, advance

avant before; **en —** forward

avant-hier the day before yesterday

avec with

avenir m future

aveu m confession

avis m opinion; announcement, notice

aviser to catch sight of, spot

avocat m lawyer

avoir to have

avouer to admit, confess

B

bac m ferry-boat

badaud m gaper

bagne m prison

bagué adorned with rings

baie f bay window

bain m bath

baiser to kiss

baisser to lower; **se—** to bend down

bal m dance, ball

balai m broom

balayer to sweep

balbutier to stammer, mumble

balcon m balcony

balise f beacon, sea mark

balle f bullet

banc m bank, bed

banquette f bench, wall seat

banquier m banker

baptême m baptism

baraque f booth

barbe f beard

barbiche f goatee

barque f boat; **— de pêche** fishing boat

barreau m bar

barrer to bar, obstruct

barrière f barrier

bas m lower part; stocking; **salle du— ** f downstairs room

bas adj low, down, lowered; **à voix basse** in a low voice; adv softly, quietly, low; **en—** below

basilique *f* basilica
bassin *m* basin; pond
bassine *f* pan
bataille *f* battle; **en —** ready for action
bateau *m* boat; **— à voile** sailboat; **— de sable** boat for transporting sand
bâtir to build
battant beating; **pluie battante** driving rain
battement *m* blink(ing)
battre to beat
battu beaten; **avoir les yeux battus** to have rings or circles around one's eyes
bavarder to chatter, chat
beau, bel, belle beautiful
beaucoup many, much
bébé *m* baby
bec de gaz *m* street lamp
bénéfice *m* profit
bénit blessed; **eau bénite** holy water
besogne *f* task, work
besoin *m* need; **au —** when required
bête *f* animal, beast
bêtement stupidly
beurre *m* butter
bibelot *m* trinket
bibliothèque *f* library; bookcase
bien well; really, indeed, quite;**— de** + *def. art.* many; **— que** although; **eh —?** well?; **ou —** or else; **si — que** so that, and so; **tant — que mal** as well as possible
bien *m* possession, property
bientôt soon
bienveillance *f* benevolence, kindness
bière *f* beer
bijou *m* jewel
bilieux irascible, morose
billard *m* billiard table
billet *m* note, bill
bistrot *m* bar, pub
blague *f* joke
blague à tabac *f* tobacco pouch

blanc white; **en —** blank
blanchir à la chaux to whitewash
blanchisseuse *f* washerwoman
blé *m* wheat
blême pale, sallow
blêmir to turn pale, livid
blessé *m* wounded man
blesser to wound
blessure *f* wound
bleu blue
bleuâtre bluish
bloc-notes *m* writing pad
blottir se — to crouch, curl up; to hide
blouse *f* smock
boire to drink
bois *m* wood; **— blanc** fir or pine wood
boiserie *f* woodwork
boisson *f* beverage, drink
boîte *f* box, can; **— aux lettres** mailbox; **—à (de) conserve** tin can; **— de nuit** nightclub
bol *m* bowl
bombe *f* "blast"; **faire la —** live it up
bon, bonne good
bondir to leap, bound
bonheur *m* happiness
bonhomme — *m* fellow; *adj* goodnaturedly
bonne *f* maid
bonnet *m* cap
bonsoir *m* good evening
bord *m* (ship)board; side, edge; **à —** on board
bordé lined, bordered
bottier *m* shoemaker
bouche *f* mouth
boue *f* mud
bouée *f* buoy
boueux muddy
bouffée *f* puff
bouger to budge, move
bougie *f* candle
bougre *m* fellow (*slang*)
boulanger *m* baker

boule *f* ball, sphere
bouleversé upset, discomposed
bourgogne *m* burgundy wine
bourrasque *f* gust of wind
bourrer to stuff
bourru rough, rude
boursicoter to make small investments at the "Bourse" (Stock Exchange)
bousculade *f* scuffle
bousculer to jostle
bout *m* end, bit, butt; **au — du fil** at the (other) end of the line; **à — portant** point-blank; **être à —** to be exhausted
bouteille *f* bottle
boutique *f* shop
bouton *m* button; doorknob; **— de manchette** cuff link
boutonnière *f* buttonhole
boyau *m* narrow thoroughfare
brandir to brandish, wave about
braquer (sur) to aim; to point (at), direct (at)
bras *m* arm
brasse *f* fathom (= 6 feet)
brave worthy; courageous
bref brief
Bretagne Brittany
bretelle *f* suspender
brigade *f* squad
brigadier *m* police sergeant
briguer to solicit, seek
briquet *m* cigarette lighter
briser to break
broc *m* pitcher
broncher : sans — without flinching
brosser to brush
broyer to pulverize
bruit *m* noise
brûler to burn
brun brown
brusquerie *f* abruptness, bluntness
bruyant noisy
bruyère *f* heather
bûche *f* log

bureau *m* office
but *m* aim, objective

C

ça (*from* **cela**) that, it; **çà et là** here and there
caboteur *m* coasting vessel
cacher to hide
cachet *m* tablet
cachot *m* prison, cell
c.-à-d. (= **c'est-à-dire**) that is (to say)
cadre *m* setting
cadrer to fit in, agree with
caillou *m* pebble; boulder; *pl* cobblestones
caisse *f* pay-desk, counter
calcul *m* calculation
calepin *m* notebook
calot *m* convict's cap
calotte *f* vault, canopy (*of heaven*)
calvados *m* cider-brandy
camarade *m* comrade
camion *m* truck
campagnard *adj* country
campagne *f* country; cruise; **à la —** in the country
camper to set up camp; to place, put, install; **se —** to plant oneself
canaille *f* scoundrel, rascal
canapé *m* sofa, couch
canard *m* rag, sheet (*pej. for* newspaper)
cantonade *f* wings (*of theater*)
capture *f* catch
car for, because
caractère *m* character
cargaison *f* cargo
carguer to take up (*sail*)
carnet *m* notebook
carré *m* square; group of people
carré *adj* squared
carreau *m* small square; **à carreaux** checked; **— de vitre** windowpane
carrière *f* career

carriole *f* light cart
carrure *f* shoulder breadth
carte *f* card, map; **— d'état-major** ordnance map
cas *m* case; **au — où** in the event that
caserne *f* barracks
casier *m* *sort of wicker basket for catching fish*
casquette *f* cap
cassation (cour de) *f* Court of Appeal
casser to break; to demote
cassoulet *m* *a kind of stew with meat and beans*
cauchemar *m* nightmare
cause : à — de because of
caution: sous — on bail
cave *f* cellar
céder to yield
cellule *f* cell
cendre *f* ash(es)
cendrier *m* ashtray
censé supposed
centaine *f* about a hundred
centimètre *m* centimeter (= 0.394 inches)
cèpe *f* *a kind of mushroom*
cependant however; meanwhile
cercle *m* circle
cerne *m* ring, circle
cerner to encircle
certes to be sure
cesse: sans — unceasingly
cesser to stop
c'est-à-dire that is (to say)
chacun everyone, each one
chaînette *f* small chain
chair *f* flesh
chaise *f* chair
chaleur *f* warmth, heat
chambranle *m* door frame
chambre *f* room, bedroom
chance *f* chance; luck
chandail *m* sweater
chandelier *m* candlestick
chantier (naval) *m* shipyard

chapeau *m* hat; **— melon** bowler
chapelet *m* rosary
chaque each, every
charge *f* charge, indictment; load
chargement *m* cargo, load; loading
charger to load
charnu fleshy
charrette à bras *f* hand cart
chasse *f* hunting
chasser to chase, hunt
chasseur *m* hunter
chat *m* cat
château *m* castle
chatoyer to shimmer, glisten
chaud warm, hot; **avoir —** to be warm, hot; **il fait —** to be warm, hot
chauffage *m* heating
chausser to wear (*on feet*)
chaussons *m pl* slippers
chaussures *f pl* footwear, shoes
chaux *f* lime
chaviré upset
chef *m* chief, boss, head
chemin *m* path, way; **— de fer** railroad
chemineau *m* tramp
cheminée *f* fireplace
chemise *f* shirt; **— de nuit** nightgown
chêne *m* oak
cher dear, expensive
chercher to look for, fetch
chéri beloved
cheval *m* horse
cheveux *m pl* hair
cheville *f* ankle
chez at the house of; with, among; in the works of
chicane *f* quibbling
chien *m* dog; **— de garde** watchdog **— errant** stray dog
chiffre *m* figure, numeral
chignon *m* coil, knot, bun of hair
chiper to swipe (*slang*)
chipoter to waste (spend) time
choir to fall

choisir to choose
chômage *m* unemployment
chose *f* thing
chou *m* cabbage; **choux de Bruxelles** *m pl* Brussels sprouts
chronique *f* news report, chronicle
chuchotement *m* whisper
chuchoter to whisper
chut! ssh!, hush!
cible *f* target
cicatrice *f* scar
ciel *m* sky
cinquantaine *f* about fifty
circuler to move about
ciré *m a type of raincoat*
ciré *adj* waxed, polished; **toile cirée** *f* oilcloth
civière *f* stretcher
clair light, fair, bright
clameur *f* noise, din
claque: il — des dents his teeth are chattering
claquement *m* bang, clap, crack, snap
claquer to bang, clap, crack, snap
clef *f* key
cliché *m* negative (*photography*); **prendre un —** to make an exposure
client *m* customer
cloître *m* cloister
clos closed
clou *m* nail
cochon *m* pig
cœur *m* heart
coiffe *f typical headgear of peasant woman*
coiffure *f* headgear
coin *m* corner
col *m* collar
colère *f* anger
colis *m* package
collectionner to collect
collègue *m* colleague
coller to stick, press
colonne *f* column

colosse *m* giant
combien how many, how much
combine *f* plot, plan, project
comédie *f* : **jouer la —** to act a part; to pretend
comédienne *f* stage actess
commander to order
comme as, since, like
comment how
commentaire *m* comment, commentary
commerçant *m* merchant, tradesman
commettre to commit
commis *m* clerk, assistant
commissaire *m* police superintendent
commune *f territorial division administered by a mayor and a municipal council*
compacte compact, close, dense
compagne *f* female companion, partner
compagnon *m* companion
comparaison *f* comparison
compassé stiff, formal
complet *m* man's suit
complice *m* accomplice
se comporter to behave
comprendre to understand
compris: y — including
compte *m* account, reckoning; **— rendu** *m* report; **en fin de —** finally, after all; **mettre sur le — de** to ascribe, attribute to; **se rendre — de** to realize, understand; **tenir — de** to take into account
compter to count, expect
comptoir *m* counter
Concarnois *m* inhabitant of Concarneau
concevoir to conceive, understand
conciliabule *m* meeting, conference
conclure to conclude
condamner to condemn
conducteur *m* driver
conduire to lead, take, drive
confectionner to fabricate, make up

confiance *f* confidence
confiner to border on
confisquer to confiscate, seize
confrère *m* colleague
confus indistinct, dim, obscure; confused; embarrassed
congé *m* leave, time off; **en —** on vacation, off duty; **jour de —** day off
connaissance *f* knowledge, acquaintance
connaître to know, be acquainted with
   se — des ennemis to be aware of having enemies
connu known, well-known
conseil *m* piece of advice
conseiller général *m* town councilman
conséquent: par — consequently, accordingly
conserve *f* preserved food
consistance *f* firmness, stability
consommation *f* drink (*in café*)
consommer to consume
conspiration *f* plot
constater to notice, certify
constatation *f* establishment (*of fact*)
construire to build
contenance *f* countenance, bearing; **perdre —** to be embarrassed
contenir to contain
contenu *m* contents
continu continuous, unbroken
contourner to pass round, skirt
contraint forced
contraire *m* opposite
contrariété *f* vexation, annoyance
contre against; **par —** on the other hand
contrebandier *m* smuggler, contrebandist
contrecoup : par — as a result
convenable appropriate, correct
convenir to suit, befit, agree
convoi *m* convoy, shipment
coq *m* rooster

coquillage *m* shell
coquille *f* shell; **— Saint-Jacques** scallop shell
cordage *m* rope
corde *f* rope
cordonnier *m* shoemaker
corne *f* horn; **— de brume** foghorn
cornet *m* receiver (*telephone*)
corniche *f* cornice, ledge
corps *m* body; **— de garde** guardhouse, guardroom
costume *m* suit
côte *f* coast
côté *m* side, direction; **à —** to one side; near; **à — de** beside; **d'à —** neighboring, next door; **de —** on th side; **de l'autre —** on the other sid **du mauvais —** upside down
coton *m* cotton; **— hydrophile** absorbent cotton-wool
cotre *m* cutter (*boat*)
cou *m* neck
couche *f* bed, couch
couché lying down, reclining
coucher to sleep; **se —** to lie down, go to bed
couchette *f* cot
coude *m* elbow, bend (*of road or river*)
couler to flow
couleur *f* color
couloir *m* corridor
coup *m* blow, stroke; deed; **à — sûr** for sure; **— de coude** poke with elbow; **— de feu** shot; **— de pied** kick; **— de téléphone** telephone call; **— de théâtre** dramatic turn of events; **— de vent** gust; **— d'œil** glance; **tout à —** suddenly; **tout d'un —** all at once
coupable *m* guilty person
coupable *adj* guilty
couper to cut, cut off
couperose *f* red blotches on skin; rec nose (*caused from drinking*)

cour *f* court, yard; **— d'assises** criminal court; **— de cassation** Court of Appeal; **faire la —** to court, woo

courant *m* current, course; **— d'air** draft; **être au —** (de) to be informed (of); **tenir au —** to keep (someone) informed

coureur *m* runner, gadabout; **— (de filles)** skirt chaser

courir to run

couronner to crown, cap

cours *m* course; **au — de** during

course *f* way

court short; **à — de** short of

coussin *m* cushion

couteau *m* knife; **— à cran d'arrêt** switch-blade knife

coûter to cost

coutume: de — usual

couvent *m* convent

couver to smoulder, brew, hatch

couvert covered

couverture *f* cover, blanket

couveuse artificielle *f* incubator

crachat *m* spit

cracher to spit

craindre to fear

crainte *f* fear; **par — de** for fear of

craintif timid

cran *m* notch, catch

crâner to swagger, put on a jaunty air

craquer to crack

cravate *f* tie; **— -plastron** four-in-hand

crayon *m* pencil

créancier *m* creditor

créer to create

crème cream-colored

crépir to roughcast, plaster

creuser to hollow (out), dig, deepen; **se — la tête** to rack one's brains

creux *m* hole; hollow

crevant terribly funny, "too much!"

crever to burst

cri *m* shout

crier to shout

crise *f* attack (*of gout, etc.*) **— nerveuse** attack of nerves

crisper to clench, contract

croire to believe

croiser to cross, meet, pass

croix *f* cross

crosse *f* butt (*rifle*)

croûte *f* crust

cru raw, crude; dull

cueillir to gather, pluck; "nab"

cuisine *f* kitchen

cuisinier *m* cook

cuisse *f* thigh

culot : avoir du — to have nerve, have gall (*slang*)

culottes *f pl* breeches; **— de cheval** riding breeches

curé *m* parish priest

curieux curious, interested; interesting; prying

D

dactylo (*from* **dactylographe**) *m* and *f* typist

dalle *f* floor tile

dallé floored

dame *f* lady

damné : souffrir comme un — "to go through hell"

dans in

davantage more

de of, from, by; with, about; in

débâcle *f* collapse, calamity

débarquement *m* unloading

débarrasser to clear; **se — (de)** to get rid (of)

débattre se — to struggle

débit *m* delivery

déboucher to open, emerge

debout standing; *exclam.* get up!

débrouiller se — to extricate oneself (*from difficulties*); to manage, get along

début *m* beginning

débuter to begin, start, commence

décharge *f* acquittal (*of responsibility*)

décharger to unload
déchirer to tear
décider to decide; to persuade
déclic m click (of clock mechanism);
  catch
décoloré discolored
déconcerter to disconcert
découper to cut out; se — to stand
  out, show up
découverte f discovery
découvrir to discover, uncover
décrire to describe
décrocher to unhook; to pick up
  (telephone receiver)
dédaigneux disdainful
dedans within, inside
dédicace f inscription
dédicacé inscribed, signed
déduire to deduce
défaire se — to come undone
défait discomposed
défendre to defend
défier to challenge, defy
défiler to walk past
déformé out of shape, distorted
défunt defunct, deceased
dégager to disengage; to clear; se —
  to emerge, come out
dégâts m pl damage
dégénéré m degenerate
dégoûté disgusted
degré m percentage of pure alcohol (in
  a liquid)
dégringoler to tumble down
déguster to taste
dehors out, outside
déjà already
déjeté lopsided
déjeuner to eat lunch
déjeuner m lunch; petit — breakfast
delà : au — de beyond
délire m delirium
delirium tremens m a delirium
  accompanied by trembling, peculiar to
  alcoholics
délit m offence

demain tomorrow
demander to ask; se — to wonder
démarche f step; faire des
  démarches to take steps
demeure f dwelling
demi m large beer glass (containing
  ½ liter)
demi : à — half, halfway
demi-heure f half an hour
démonter to dismantle; se — to be
  put out, flustered
dent f tooth
dentelle f lace
dénudé bare, stripped
départ m departure
département m administrative
  subdivision of France
dépasser to go beyond
dépêche f telegram
dépenser to spend
déplacer to displace
déplier se — to unfold, open out
dépôt m warehouse
depuis since, from; — lors ever
  since then
député m delegate, representative in
  legislature
dérisoire laughable; ridiculously small
dernier last
déroutant confusing, baffling
dérouter to confuse, throw off the
  track
derrière behind
désarmer to disarm; to abandon
  resistance
descendre to descend
dès since, from, as early as; — que as
  soon as
désaffecté put to another purpose
désagréable unpleasant
désemparé distressed
désert deserted
désigner to designate, indicate
désinvolte free and easy, not
  self-conscious
désolé woe-begone

désormais henceforth
desserrer to unclench
dessin *m* drawing; design
dessiner to show, outline
dessouder to unsolder, part
dessous under; **en — de** underneath
dessus on (it, them)
destiné meant for
détente *f* relaxed position; relaxation
détenu *m* prisoner
déterminé definite, specific
détonation *f* report (*of firearm*)
détourné unfrequented, secluded
détourner to turn (aside), divert
détour : sans — plainly, frankly
détresse *f* distress, anguish
détritus *m* detritus (of rock), rubbish, refuse
dette *f* debt
devant in front of
devenir to become
deviner to guess, discern
devoir to owe; should, ought; must, have to
devoir *m* duty
dévorer to devour
diable *m* devil
dicter to dictate
Dieu God
difficile difficult
dire to say, tell; **pour ainsi —** so to speak; **vouloir —** to mean
diriger to direct, manage; **se —** to make one's way, go
discours *m* speech
discuter to discuss, dispute
disparaître to disappear
disparition *f* disappearance
disponible available
distiller to distill, shed, diffuse
distinguer to distinguish, make out
distraire to distract
dit (so-)called; settled
divers diverse, various
dizaine *f* about ten
dogue *m* large watchdog

doigt *m* finger
doléances *f pl* complaints; whining
domestique *m* and *f* servant
dominer to dominate; to overlook
donc therefore, then, so; **dis donc!**
  dites donc! say!
donner to give; **— sur** to open onto
dormir to sleep
dos *m* back
dossier *m* back (*of chair*); file, record
douanier *m* customs officer
doucement gently, softly, slowly
douleur *f* sorrow, pain
doute *m* doubt; **sans —** probably
doux, douce sweet, pleasant, gentle
drame *m* drama; incident, disaster
drap *m* cloth, sheet
drapeau *m* flag
dresser to set (*table*); to set up, draw up; **se —** to sit up, straighten up
droit *m* right; law
droit *adj* straight; **se tenir —** to sit up straight
droite : à — to the right
drôle funny, strange
dru thick
dundee *m* ketch (*two-masted fishing boat*)
duper to dupe, fool
dur hard
durant during
durcir to harden
durée *f* duration
durer to last
dureté *f* hardness; difficulty; harshness

E

eau *f* water; **eau-de-vie** brandy;
  — oxygénée hydrogen peroxide
ébauche *f* sketch, outline, skeleton
ébranler to shake
écarlate scarlet
écarter to move aside; to separate
échanger to exchange

échapper s'— (de) to escape (from)

échéance *f* due date (*of bills*)

échec *m* failure

échelle *f* ladder

échotier *m* gossip columnist

échoué stranded; grounded

éclair *m* flash

éclairage *m* lighting

éclairé lighted

éclairer to light, illuminate

éclat *m* splinter; burst (*of laughter, etc.*); **éclats de voix** shouts, loud talking

éclatant dazzling, brilliant

éclater to burst, break out, go off (*of shot*); **— de rire** to burst out laughing

écœurant disgusting, sickening

école *f* school

écolier *m* schoolboy

écouter to listen (to)

écran *m* screen

écrasé flattened out

écraser to crush

écrier s'— to exclaim

écrire to write

écriteau *m* placard

écriture *f* handwriting

écrivain *m* writer

écrouer to commit (someone) to prison

écrouler s'— to collapse, flop

écueil *m* reef

écurie *f* stable; **— de course** racing stable

écusson *m* shield, coat of arms

effacer to efface, obliterate, wipe off

effaré frightened

effarer s'— to be frightened, startled

effet *m* effect; **en —** as a matter of fact, indeed

effleurer to graze

efforcer s'— to strive, do one's utmost

effrayé frightened

effroi *m* fright, terror

égaler to equal

égard *m* consideration, respect

égrener to shell; to let fall, sound; to space out, detach

élève *m* and *f* pupil

élever to raise; **s'—** to rise (up); to utter

éloigner (s'—) to move away, withdraw

émaillé glazed (*porcelain*)

emballage *m* wrapping

emballer s'— to be carried away (*fig.*)

embrasser to kiss

embrouiller s'— to get confused

embuscade *f* hiding place; ambush

emmener to lead, take away

émouvant moving, touching

émouvoir to move

empêche : n'— que nevertheless, all the same

empêcher to prevent

empirer to grow worse

emplir to fill (up)

emploi *m* use

employer to use

empoigné gripped

empoisonnement *m* poisoning

empoisonner to poison

emporter to take away

empreinte *f* print, fingerprint

ému affected, moved

en in, to, into; on, upon, by, from, there; some, any, of it, of them, about it; as, while

encadrement *m* frame

encadrer to frame, enclose, surround

enchanté glad to meet you

enchanter to enchant, delight

enchâsser to enshrine

encombrant cumbersome

encombrer to encumber, congest

encore still, yet, more, again; **— un** (just) one more; **ou —** or yet again

encre *m* ink

endimanché dressed in best (or Sunday) clothes
endormir s'— to fall asleep
endosser to put on (*clothes*)
endroit *m* place, spot; **à l'—** right side out, up
énervement *m* nervous irritation
enfance *f* childhood
enfer *m* hell
enfermer to shut up, lock up
enfin finally; in a word, in short
enforcé sunk
enfoncer to thrust (in); to pull down
enfouir to hide
enfourcher to bestride
enfuir s'— to flee
engager s'— to enter, enter upon, undertake
engouffrer s'— to sweep down
enivrer s'— to get drunk
enjamber to span
enlever to remove
ennui *m* worry, anxiety; annoyance
énorme enormous
enquête *f* investigation
enquêteur *m* investigator
enragé mad, rabid
enseigner to teach
ensemble together
ensemble *m* whole; group; general unity, general effect
ensoleillé sunny
ensuite after(ward)
entasser to pile up
entendre to hear; to intend, mean; to understand; **— parler de** to hear about
entendu : bien — of course
enterrer to bury
en-tête *m* heading
entier entire; **en —** entirely
entonnoir *m* funnel; shell hole
entourer to surround, wrap
entournure *f* armhole
entrain *m* liveliness

entraîner to drag along; to produce (*as a consequence*); to involve
entraver to shackle, fetter
entre between, among; **— autres** among others
entrebâillement *m* narrow opening
entrechoquer s'— to knock together
entrée *f* entry; mouth (*of river*); entrance
entrepôt *m* depot
entrer to enter
entretien *m* conversation
entrevoir to catch sight of, catch a glimpse of
entrouvert partly open
envahir to invade
envers toward; **à l'—** upside down, inside out
envie *f* desire, longing; **avoir — de** to wish to, want to
envier to envy
environ approximately
environs *m pl* vicinity
envoyer to send
épais thick
épaisseur *m* thickness
épaissir to thicken
épatant wonderful, splendid (*slang*)
épaule *f* shoulder
épauler to shoulder, aim (*rifle*)
épeler to spell, spell out
épinards *m pl* spinach
épingle *f* pin
épingler to pin
éponger to sponge up, off; **s'—** to mop off perspiration
époque *f* epoch, time, period
épouser to marry
épouvanter to terrify
époux, épouse husband, wife; spouse
épreuve *f* print (*of photo*)
éprouver to feel, experience
épuiser to exhaust
équilibre *m* balance
équipage *m* crew
équivaloir to be equivalent, equal

équivoque ambiguous, dubious
errant stray
errer to wander
escalier *m* staircase
espace *m* space
espacer s'— to become less frequent
espagnolette *f* fastener (*of French window*)
espérer to hope (for)
espoir *m* hope
esprit *m* mind
esquisser to sketch, outline
essayer to try, test
essoufflé out of breath
essuyer to wipe
établir to establish
étage *m* story, floor
étagère *f* shelf
étal *m* stall
étalage *m* display
étaler s'— to stretch out, sprawl, spread
étang *m* pond
état *m* state; profession; **de son —** by profession
Etats-Unis *m pl* United States
été *m* summer
éteindre to extinguish, put out; **s'—** to go out, die out
étendre to spread, stretch (out)
étirer s'— to stretch, extend
étonné surprised
étonnement *m* surprise
étonner to stun, astonish, surprise; **s'— (de)** to be astonished, surprised; to wonder (at)
étouffer to hush up; to suffocate, dampen, lessen
étrange strange
étranger : — à not belonging to; **à l'—** abroad
étrangler to strangle, choke
étreindre to embrace, hug, clasp
étreinte *f* embrace
être *m* being
être to be

étroit narrow
étude *f* study; study period
étudiant *m* student
étudier to study
évanouir s'— to faint
éveiller to awaken
événement *m* event
éventualité *f* possibility, contingenc
évidemment certainly, of course, evidently
éviter to avoid
évoluer to move about; to be active to evolve
évoquer to evoke
exemple *m* example; **par —** my word; well I'll be . . . ! **par—** for example
exercer to exercise; to practice; to follow, pursue
exiger to demand
expédier to send off
explétif *m and adj* expletive: *a word or phrase not needed for the sense but used to fill out a sentence or metrical lin*
expliquer to explain
exprès expressly, on purpose
exprimer to express
exsangue pale; bloodless, cadaverou
extasier s'— to go into ecstasies
extraire to extract

F

fabrique *f* factory
face : en — de opposite; **— à** facin
facile easy
facilement easily
façon *f* way, fashion; **de telle —** in such a way
facteur *m* mailman
faction *f* sentry duty; **en —** on guar duty
faible weak, feeble
faiblesse *f* weakness
faiblir to weaken
faillir (+*inf*) to almost (do something)

faillite *f* bankruptcy; **faire** — to go bankrupt

faim *f* hunger; **avoir** — to be hungry

fainéant *m* idler

faire to make; to do; — **une partie de cartes** to play a game of cards

fait *m* fact; **au** — by the way, come to think of it; **du** — because of that

falaise *f* cliff

falloir to be wanting, lacking; to be necessary

falot odd; wan, colorless

fameux famous; remarkable of its kind; familiar to us

fantaisie *f* imagination, fancy, whim

fantôme *m* phantom

faraud spruced-up

farce *f* practical joke

fardeau *m* burden

fatigué tired

faufiler se — to edge into or out of a place

faute *f* lack; fault, imperfection

fauteuil *m* armchair

faux, fausse false; insincere

faux-col *m* detachable collar

fébrile feverish

feindre to feign, pretend

femme *f* woman; wife; — **de chambre** chambermaid

fendu split

fenêtre *f* window; — **à tabatière** hinged skylight

fente *f* hole, slot

féodal feudal

fer *m* iron

fermer to close

festin *m* feast

fête *f* festivity; **jour de** — *m* holiday

feu *m* fire, light

feutre *m* felt

feuille *f* leaf; sheet; insignificant newspaper

feuilleter to leaf through

ficelle *f* string; *pl* the workings; "the ropes"

fiche *f* index-card

fictif fictitious

fidèle faithful

fier proud

fièvre *f* fever

fiévreux feverish

figer se — to be very cold; to set oneself

figure *f* face

figuré figurative

figurer to appear, figure; to represent

fil *m* thread, line, wire

filer to speed along

filet *m* net, thread

fille *f* girl; daughter; — **de salle** waitress

fils *m* son

fin *f* end; **en** — **de compte** in the end; **prendre** — to come to an end

fine *f* brandy (*of superior quality*)

finir to finish; — **par** to finish (up) by

fiole *f* phial, flask

fit said

fixe fixed

fixer to stare at; to fix, fasten

flacon *m* bottle, flask

flamber to burn

flaque *f* puddle

flatter to flatter

fleur *f* flower; **à** — **de** on the surface of, on a level with

fleurir to flower, bloom

flot *m* wave

flottement *m* wavering, uncertainty

flotter to float

flou *m* softness; fuzziness

flou *adj* indistinct, blurred

fluet thin

foc *m* jib

foire *f* fair

fois *f* time, occasion; **à la** — at one and the same time; **une** — **de plus** one more time; **une** — **encore** one more time, once more

folie *f* madness

foncer to rush, charge
fonctionnaire *m* official (*especially a civil servant*)
fonctionner to function; to ring
fond *m* bottom, back, far end; substance, matter; **au —** fundamentally, actually
fonder to found
fondre to melt; **— en larmes** to burst into tears
fonds *m pl* funds
forçat *m* convict
force *f* strength
fort *adj* strong, big, heavy; *adv* very loudly
fou, folle *adj* crazy
fou *m* madman
fouetter to whip
fouiller to search
fouillis *m* jumble
foulard *m* neckerchief
foule *f* crowd
fourneau *m* bowl (*of pipe*)
fournir to furnish
fourrer to stuff, cram, stick
foyer *m* hearth, fire
fracas *m* crash, din
fraîchement freshly, recently
frais *m pl* cost, expenses
frais fresh
franchement frankly
franchir to pass through, over; to cross
frapper to strike, hit, slap, knock
frasque *f* escapade
fredonner to hum (*a tune*)
frêle frail
frémir to shake, tremble, shudder; to rustle
frère *m* brother
fret *m* freight, cargo
fripé crumpled
froid *m* cold, chill; **avoir —** to be cold
froid *adj* cold
froissé brushed by; crumpled

froissement *m* rustle
frôler to touch lightly
front *m* forehead
frotter to rub; **— une allumette** to strike a match; **se — à** to associate with
frousse *f* fear (*slang*)
fruitier *m* fruit merchant
fuir to flee, run away; to hurry along
fulgurer to flash
fumée *f* smoke
fumer to smoke
fumeur *m* smoker
funèbre funereal, dismal
fur : au — et à mesure proportionally, as the occasion arises
fureter to ferret, nose about
furieux furious
fusil *m* rifle
futile trifling
fuyard *m* fugitive

G

gagner to earn, win, gain; to reach, arrive at; **— gros** to make big money
gaiement gaily
galant gallant; devoted to women; suggestive
galapiat *m* despicable person (*slang*)
gamin *m* youngster, boy, urchin
garçon *m* boy, fellow; **joyeux garçons** *m pl* gay blades.
garde *m* guard; **— du corps** bodyguard; **corps de —** guardhouse
garde *f* guard, watch, care; **de —** on (guard) duty; **prendre — à** to notice, pay attention to
garder to guard, watch over; to keep
gare *f* railway station
garni covered
gaspiller to waste
gauche left; clumsy; **à —** to the left
gazon *m* lawn
gelé frozen
gémir to groan, moan
gémissement *m* groan, moan

gendarme *m* policeman
gendarmerie *f* police headquarters
gêne *f* embarrassment, uneasiness, discomfort
gêné embarrassed, ill at ease
genêt *m* broom (*botany*)
génial inspired, brilliant
génie *m* genius
genou *m* knee
genre *m* kind
gens *m pl* people; **jeunes —** young people, young men
gentil nice, kind
gentilhomme *m* gentleman
gérant *m* manager
geste *m* gesture
gibier *m* game (*wild animals*)
gigot *m* leg of mutton
gilet *m* vest
glace *f* mirror; ice; window (*of vehicle*)
glacé icy
glacer to chill
glauque sea-green
glissement *m* gliding
glisser to slip, slide; **se —** to glide, steal about
glouglou *m* gurgle
godille *f* scull; stern oar
goémon *m* seaweed
gonfler se — to swell, puff out
gorge *f* throat, neck
gorgée *f* gulp, swallow
gosse *m and f* youngster, "kid"
gouffre *m* gulf, chasm
goulot *m* neck (*of bottle*)
goulûment greedily
goût *m* taste
goutte *f* drop
gouttière *f* gutter (*of roof*), spout
grâce à thanks to
grain *m* speck
graisseux greasy
grand big, large
grappe *f* cluster, bunch; **former —** to cluster

gras fat, thick, heavy
grassouillet plump, chubby
gratter to scratch
grave serious
gravir to climb
gravure *f* print, picture
gré *m* will; **de son —** willingly
greffier *m* clerk
grêle thin, high-pitched
grelotter to tremble, shiver
grenier *m* loft, attic
grièvement gravely
grillage grilled
grille *f* entrance gate
grimper to climb (up)
grincer to creak, grate, grind
gris grey
grisaille *f* greyness, opacity
grog *m* drink of rum mixed with hot water and sugar
grogner to growl
grognon *adj* (*invar.*) grumbling
grommeler to grumble, mutter
gronder to growl, snarl; scold
gros, grosse big, heavy; **un bon —** big, heavy fellow
groseillier *m* currant bush
grossier vulgar, gross, rough
grue *f* crane
guère hardly
guérite *f* cabin, shelter (*for watchman or guard*)
guerre *f* war
guêtres *m pl* gaiters
guetter to lie in wait for, watch for
gueule *f* mug, puss (*slang*)
guise *f* manner, way, fashion; **en — de** by way of, instead of
guilleret jaunty

H

habillé dressed
habiller s'— to dress (oneself)
habitant *m* inhabitant
habiter to live, inhabit

habitude *f* habit, custom, practice;
d'— usually
habitué *m* regular customer
habitué (à) *adj* accustomed (to)
*haie *f* hedge; faire la — line up
(on either side of)
haleine *f* breath
*haletant panting
*haleter to pant, gasp
*halle *f* covered market; — aux
poissons fishmarket
*hampe *f* staff; flagpole
*hanche *f* hip
*hangar *m* shed
*happer to catch hold of
*harcelé harried, dunned
*hareng *m* herring
*hargneux snarling, ill-tempered
*hasard *m* chance, accident
*hâte *f* haste; avoir — to be in a
hurry
*hâter se — to hasten
*hâtif hasty
*haussement lifting, shrugging
*hausser to raise; — les épaules to
shrug one's shoulders
*haut *m* height; là-haut up there;
upstairs
*haut *adj* high; à haute voix aloud
*hauteur *f* height
*haut-le-corps *m* sudden start
hebdomadaire weekly
*hein? eh?, what?
hémorragie *f* bleeding
héritage *m* inheritance
hésiter to hesitate
heure *f* hour, time; à tout à l'— so
long!; de bonne — early; tout à
l'— in a short while, a short time ago
heureux happy
*heurter to knock against, run into;
to shock, offend
hier yesterday
*hisser to hoist, pull up
histoire *f* history; story; affair;
difficulty

hiver *m* winter
*homard *m* lobster
homme *m* man; — de peine laborer
*honte *f* shame; avoir — to be
ashamed
*honteux shameful
hôpital *m* hospital
horloge *f* clock
horloger *m* clock, watchmaker
*hormis except
*hors: — de outside of; être —
d'état de to be in no power to; —
de lui beside himself; mis — de
cause freed from blame
hôte *m* host
humeur *f* humour, mood; bad tempe
humoristique humorous
*hurler to howl

I

ici here; par — this way
idée *f* idea; — fixe obsession
idiot *adj* idiotic, absurd
ignoble wretched, base, vile
ignorer not to know; to be ignorant o
île *f* island
il y a there is, there are; — + time
(amount of time) ago
imberbe beardless
immeuble *m* building
immobilier pertaining to real estate
or property
impasse *f* dead-end, blind alley
impatienter s' to become impatient
impénitent incorrigible, unrepenting
importe : n'— no matter; n'— qui
anyone at all, anybody; peu — no
matter
impotent helpless, crippled
impressionnant impressive
impressionner to impress
imprimer (à) to impart, communicate
(to); to imprint, print
inaccoutumé unaccustomed
inachevé unfinished
inattendu unexpected

incendier to set fire to
inconnu unknown
incroyable unbelievable
indicateur indicatory
indication *f* indication, sign, clue;
  (*esp. pl*) instruction(s)
indice *m* sign, mark; clue
indigné indignant
indisposer to antagonize, set against
individu *m* individual, person
industriel *m* manufacturer
inégalité *f* inequality
inférieur lower
infiniment infinitely
infirmier *m* hospital attendant; male
  nurse; ambulance man
inhabité uninhabited
injure *f* insult
inné inborn
innombrable countless
inonder to flood
inouï unheard of
inquiet, inquiète worried, anxious,
  upset
inquiétant disturbing
inquiéter s'— (de) to worry, get
  uneasy, be anxious (about)
inquiétude *f* anxiety
insolite unusual
inspecteur *m* detective; inspector
installer s'— to establish oneself,
  move in; to settle (down)
instant *m* moment; **à l'—** at once;
  just now
instituteur *m* schoolmaster
insu : à l'— de unknown to;
  unbeknownst to
intenable unmaintainable,
  impossible to continue
intérêt *m* interest
intérieur *m* interior; home, house
interner to confine, shut up (*a mad
  person*)
interrogateur questioning
interrogatoire *m* examination,
  interrogation

interrompre to interrupt
intervenir to interpose, intervene
intimement intimately
intrigant scheming
intriguer to scheme
introduire to let in, admit
inutile useless
inventaire *m* inventory
ivre drunk
ivresse *f* drunkenness; rapture
ivrogne *m* drunken man; drunkard

J

jadis formerly
jaillir to shoot, gush (forth); to flash
jalousement jealously; carefully
jamais ever, never
jambage *m* downstroke (*of written
  letter*)
jambe *f* leg
jardin *m* garden
jaunâtre yellowish
jaune yellow
jaunir to turn yellow; to fade
jetée *f* jetty, pier
jeter to throw, cast; **— un trouble**
  to cause uneasiness; **se —** to throw
  oneself; to flow into (*stream of
  water*)
jeu *m* game
jeune young
jeunesse *f* youth
joie *f* joy
joindre to join, join together
joli pretty; nice
joue *f* cheek; **mettre en —** to aim at
jouer to play
jour *m* day; **à —** up to date; **— de
  sortie** day off
journal *m* newspaper
journée *f* day
joyeux gay
juge *m* judge; **— d'instruction**
  examining magistrate
juger to judge
jupe *f* skirt

jupon *m* petticoat
jurer to swear
jusant *m* ebb tide
jusqu'à up to, until, as far as; — ce que until
jusque as far as; until; — là up to that point
juste just, fair, accurate; barely
justement in fact, precisely

K

képi *m a kind of headgear*
kiosque *m* newspaper stand; summer house, pavilion

L

là there
là-bas over there, down there
là-dessus on that
là-haut up there; upstairs
lacérer to slash
lacet *m* shoelace
lâche *m* coward
lâcher to release, let go, drop; to abandon
lâcheté *f* cowardice
laisser to leave, let; — traîner to leave lying about
lambeau *m* scrap, shred, bit
lame *f* blade
lampe *f* lamp; — de poche flashlight
lancer to throw, call out, interject
lanceur *m* thrower
langue *f* tongue
languir to languish, drag, lose liveliness
large *m* open sea; au — off; out beyond; prendre le — to put to sea; to leave, decamp
large *adj* broad, wide
larguer to let go, loose (*rope, moorings*)
larme *f* tear
laver to wash
lécher to lick
lecture *f* reading

léger, légère light, slight; à la légère lightly, without due reflection
légume *m* vegetable
lendemain *m* next day; day after
lentement slowly
lentille *f* lens
lésion *f* injury, lesion
lever to raise, lift; se — to rise, get up
levé up, out of bed
lèvre *f* lip
libre free
lieu *m* place; au — de rather than, in place of; avoir — to take place; donner — to give rise to; sur les lieux on the scene (*of a crime*)
ligne *f* line
limonades *f pl* soft drinks
linge *m* laundry
liqueur *f* cordial, liqueur (*usually taken after a meal*)
lire to read
lissé smoothed-out, glossy
lit *m* bed
livre *m* book
livre *f* pound
livrée *f* livery
livrer se (à) to indulge in
locataire *m and f* tenant
loger to lodge, live
logeuse *f* landlady
logis *m* house, dwelling
loin far; de — from afar; de — en at long intervals
long, longue long; de — en large back and forth, up and down; de tout son — at full length; le — de along
longer to skirt, hug, follow the course of, go along
longtemps for a long time
loquet *m* latch
lorsque when
lot *m* share, portion
lotissement *m* plot of land (*for building*)

lourd heavy
lucarne *f* dormer, attic window
lueur *f* gleam
lugubre lugubrious, mournful
luisant shiny
lumière *f* light
lumineux luminous
lune *f* moon
lutte *f* struggle
lutter to struggle
luxe *m* luxury
luxueux luxurious
lycée *m* secondary school

M

mâchoire *f* jaw
maculer to stain
magasin *m* store, shop; stockroom
mage *m* wise man, seer
magie *f* magic
magnifique magnificent; —! great!
maigre thin, lean, skinny
maigrir to grow thin, lose weight
main *f* hand
maint many a
maintenant now
maintenir to maintain, hold in
  position
maire *m* mayor
mairie *f* town hall
mais but
maison *f* house
maître *m* master; — d'hôtel butler
maîtresse *f* mistress
maîtriser to master
mal badly, poorly
mal *m* evil, harm; difficulty
malade *m and f* sick person, patient
malade sick, ill
maladie *f* illness
maladif sickly
maladroit clumsy
malaise *m* uneasiness, discomfort
malfaiteur *m* criminal
malgré in spite of
malheur *m* misfortune, calamity

malin shrewd, sly, cunning
malle *f* trunk
malpropre dirty
malsain unhealthy
maman *f* mama, mom
manche *f* sleeve
manchette *f* cuff; headline
mandat *m* order, warrant; — d'arrêt
  warrant for arrest
manger to eat
manier to handle, examine
manière *f* manner, way; à la — de
  in the manner of
manoir *m* country house
manquer to lack, be missing
mansarde *f* attic room, garret
manteau *m* coat
marbre *m* marble
marc *m* *a kind of brandy*
marchand *m* merchant; vendor, seller
marchandise *f* merchandise, goods
marche *f* step (*of stairs*); mettre en —
  to start (running), set in motion
  (*vehicle*)
marché *m* market
marcher to walk; to work, function
marée *f* tide
marge *f* border, margin; en — in the
  margin; incidentally
mari *m* husband
marié married
marier se to get married
marin *m* sailor
maroquin *m* Morocco leather
marque *f* brand, brand name; bruise
marquer to note, mark, show,
  indicate
marron *m* chestnut
marteau *m* hammer
massue *f* club, bludgeon
mastic *m* resin, putty
matelot *m* sailor, seaman
matériel *m* stock; stuff
matin *m* morning
mâtin *m* mastiff
matinée *f* morning

matraque *f* bludgeon, blackjack
maussade surly, grumpy
mauvais bad
mèche *f* wick
méchant wicked; wretched, miserable
médaille *f* medal
médecin *m* physician, doctor
médecine *f* discipline of medicine
méfait *m* misdeed
méfiance *f* distrust
méfier se to distrust, beware
meilleur better; **le —** the best
mêler to mix, mingle, blend; involve
même *adj* same, very; itself, self; *adv* even; **à — la falaise** on the edge of the cliff; **à — le parquet** on the bare floor; **à — les boîtes** right out of the cans; **de —** in the same way likewise
mémoire *f* memory
menace *f* threat
menacer to threaten
ménagère *f* housekeeper
mener to lead
menottes *f pl* handcuffs
mensonge *m* lie
mention *f* notice, inscription
mentir to lie
menton *m* chin
menu small
mépris *m* contempt
méprisable contemptible, despicable
méprisant scornful
mépriser to despise
mer *f* sea; **en —** at sea
merci thank you
mère *f* mother
mériter to deserve
merlan *m* whiting, mackerel
merveille *f* marvel; **à —** perfectly
messe *f* mass (*religious service*)
mesure *f* measure; **à — que** in proportion as, proportionally to; **sur —** made to order
métier *m* job, profession
mètre *m* meter (= 39.37 *inches*)

mettre to put, place, put on; **se — à** to begin; **se — au beau** to turn fair (*weather*)
meuble *m* piece of furniture
meublé furnished
meurtre *m* murder
meurtrier *m* murderer
meurtrière *f* loophole (*in fortification*)
midi *m* noon
mieux better; **le —** the best
milieu *m* middle; **au — de** in the middle of
milieux *m pl* circles, environment, sphere(s) of activity
militaire *m* military man, soldier
mince thin
mine *f* lead (*point of pencil*)
ministère *m* ministry
miroir *m* mirror
misère *f* misery; poverty; *f pl* trouble
mitrailleuse *f* machine gun
mi-voix : à — in a low voice
mobile detachable
mode *f* fashion
modèle : prendre — sur quelqu'un take someone as a model
moduler to modulate
moindre least, slightest
moins less; **à — de (que)** unless; **au —, du —** at least; **en —** lacking, less; **— de** less than
mois *m* month
moitié *f* half; **à —** half, halfway
môle *m* breakwater
molesquine *f* imitation leather
mou, molle soft, limp
mollet *m* calf (*of leg*)
Mondaine : la (Brigade) mondaine vice squad
monde *m* world; people; **gens du —** society people; **tout le —** everyone
monnaie *f* change; **pièce de —** coin
monsieur gentleman; mister, sir
monter to rise, come (go) up, climb, bring (take) up; to set up; to get in (*vehicle*); to fit on
montrer to show

moquer se (de) to make fun (*of*)
morceau *m* piece
mordre to bite
morne gloomy, dull, bleak
mort *m* dead man; *f* death
mort *adj* dead
mot *m* word
motte *f* mound, lump; — **de beurre** pat (*of butter*)
mou, molle soft, limp, flabby
mouchoir *m* handkerchief
moue *f* grimace, pout, scowl
mouiller to wet, to drop (*anchor or nets*)
moulage *m* cast
moulé molded
mourir to die
mousse *f* foam; moss
mouvementé animated, lively
moyen *m* means, way
moyenne *f* average
muni: — de furnished, provided, equipped with
mur *m* wall
muraille *f* high (defensive) wall
mystère *m* mystery

N

nager to swim
naïf, naïve naïve
naître to be born, come into being; to appear
nappe *f* tablecloth
narine *f* nostril
navette *f* shuttle
né born
néanmoins nevertheless
négligemment negligently
négociant *m* (wholesale) merchant
neige *f* snow
nerf *m* nerve
nerveux nervous
net clean, clear, distinct
netteté *f* distinctness
nettoyage *m* cleaning
nettoyer to clean
neuf new; **à** — anew; **quoi de** —? what's new?

nez *m* nose; — **de travers** crooked nose
niveau *m* level; **au** — **de** on a level with
noblesse *f* nobility; **la petite** — gentry
noce : faire la — to go on a spree
noctambule *m* person who walks or seeks amusement at night
nocturne nocturnal
nœud *m* knot; **le** — **du drame** crux of the matter
noir black
noircir to blacken, darken
nom *m* name; noun
nombre *m* number
nombreux numerous
nommer to name, appoint
non no, not
nord *m* north; **perdre le** — to lose one's bearings
notable *m* eminent person
notaire *m* notary
note *f* : — **de frais** expense account
noter to note, notice
nourrir to feed
nourriture *f* food
nouveau new; **à** — again; **du** —? anything new?
nouvelle *f* piece of news
noyade *f* drowning
nu nude, naked
nuage *m* cloud
nuée *f* cloud
nuire to harm
nuit *f* night; **de la** — the whole night; **la** — at night
nul no one
numéro *m* number, edition (*of periodical*)

O

obéir to obey
objectif *m* target
objet *m* object, thing
obliger to oblige, force
obscurci darkened, dimmed

obscurité *f* darkness
obtenir to obtain; to achieve
obstiner: s'— à to persist in
obus *m* shell (*artillery*)
occasion *f* opportunity; **à l'—** occasionally
occasionner to be the cause of
occupé busy
occuper to occupy, fill; **s'— de** to take care of, be concerned with
œil *m* eye
œillade *f* (meaningful) glance
œuf *m* egg
officine *f* dispensary
offrir to offer
oignon *m* onion
ombre *f* shadow, shade
omettre to leave out, omit
opposé facing
or *m* gold
or now, but
orage *m* thunderstorm
ordinaire: à l'— usually, as a rule
ordonner to order
ordures *f pl* rubbish
oreille *f* ear
orfèvre *m* goldsmith, jeweler
orgueil *m* pride
orgueilleux proud, haughty
originaire: être — de to come from
orné adorned
orphelin *m* orphan
os *m* bone
oser to dare
ostensiblement openly, for all to see
où where
oublier to forget
oui yes
ours *m* bear
outrage *m* outrage, offense
outre: en — besides
ouvert open
ouverture *f* opening
ouvreuse *f* usherette
ouvrier *m* worker
ouvrière *f* factory girl

ouvrir to open

P

paille *f* straw
pain *m* bread
paix *f* peace
paletot *m* overcoat; **— mastic** *a kind of water-repellent overcoat*
pâlir to grow pale
pan *m* tail (*of garment*); panel, section (*of wall, etc.*)
panier *m* basket
panne *f* breakdown
panneau *m* signboard
panse *f* belly, bulge (*of bottle, vase*)
pansement *m* dressing (*of wound*)
pantalon *m* trousers
panteler to pant
pantoufle *f* house slipper; **en pantoufles** wearing house slippers; free and easy, without constraint
papeterie *f* stationery shop
papier *m* paper; article or story (*for newspaper*); **— buvard** blotting paper; **— quadrillé** paper ruled in squares
paquebot *m* liner, steamer
paquet *m* package; **— de mer** heavy wave
par by, through, via, per, upon, with **— ci, — là** here and there; **— ici** this way
paraître to appear, seem to be
parapluie *m* umbrella
parbleu! of course! to be sure!
parcelle *f* plot, patch (*of land*)
parce que because
parcourir to travel over, cover (*a distance*); to go through, over; to glance at, skim through
pardessus *m* overcoat
pareil, pareille like, similar; such (a
parer to parry, guard against, deal with
parfait perfect
parfois sometimes
parfum *m* perfume
parler to speak, talk

parloir *m* visiting room (*of prison, etc.*)

parmi among

parole *f* word

parquet *m* floor ; court (*of law*)

part *f* part, behalf ; **d'autre —** on the other hand ; **nulle —** nowhere

partager to divide, share

partance *f* nautical departure

parterre *m* flower bed

partie *f* part (*of a whole*) ; party ; game, match ; **une — de cartes** a game of cards

partir to leave ; **à — d'ici** from here on

partout everywhere

parts : de toutes — on all sides

parvenir to succeed, arrive at, reach

pas *m* step, footstep, pace ; **à grands — striding** ; **faire les cent —** to walk up and down ; **presser le —** to quicken one's pace

pas : ne ... pas not

passage *m* way ; passing (over, by) **au —** in passing

passant *m* passerby

passé *m* past

passer to pass, pass by, spend (*time*), slip on (*garment*) ; **— pour** to be supposed to be ; to be accounted ; to pass for ; **se —** to happen

passionné fascinated

patauger to splash, flounder, paddle

pâte *f* dough ; **une bonne —** a good guy

pâté *m* block (*of houses*)

paterne benevolent, soft-spoken

patron *m* boss ; owner

patte *f* paw ; *pl.* large hands (*slang*)

paupière *f* eyelid

pauvre poor

pavé *m* pavement ; paving stone

pavillon *m* flag

payer to pay ; **se — la tête de quelqu'un** to make fun of someone

payé paid, paid for

pays *m* country ; countryside, region

paysage *m* landscape

paysan *m* peasant, farmer

peau *f* skin

pêcher to fish

pêcheur *m* fisherman

pectoraux *m pl* chest muscles

peigne *m* comb

peigner to comb

peine *f* trouble, difficulty, punishment, sorrow ; **à —** hardly, scarcely ; **être la — de** to be worth while ; **homme de —** handyman, odd-job man

peler to remove the hair from ; to peel, skin

pèlerinage *m* pilgrimage

pelisse *f* fur-lined cloak

pellicule *f* film

pencher se to lean

pendant during ; **— que** while

penderie *f* wardrobe, closet

pendre to hang

pénétrer to penetrate, enter

pénombre *f* gloom, dim light

penser to think

pente *f* slope

percer to pierce ; come, break through

percevoir to perceive ; to hear

perdre to lose ; **— de vue** to lose sight of

père *m* father

périr to perish, die

permettre to permit, allow

persienne *f* shutter

personnage *m* person, individual, personage ; character (*in novel or play*)

personne *f* person

personne *pron* no one, nobody ; anyone, anybody

peser to weigh

pétiller to sparkle

petit small, little, short ; **— à — little by little

pétrir to knead

pétrole *m* petroleum ; kerosene

peu *m* a little

peu little ; **à — près** about, approximately

peur *f* fear; **avoir — de** to be afraid of; **faire —** to frighten
peureux timorous, easily frightened
peut-être perhaps
phare *m* lighthouse
pharmacien *m* druggist
phrase *f* sentence
photographe *m* photographer
photographie *f* photography
pièce *f* piece; room; document; **de toutes pièces** out of nothing; **— de monnaie** coin; **—du fond** back room
pied *m* foot; **à —** on foot; **mettre les pieds** to set foot; **sur —** afoot, on one's legs
pierre *f* stone; **— de taille** building stone
piétinement *m* trampling, treading
pince *f* claw
pinceau *m* brush *(of artist)*
pincer to pinch
pion *m* proctor
piquer to prick, sting; **piqué au vif** stung to the quick
piqûre *f* injection
pire *adj* worse; **le —** the worst
pis *adv* worse
piste *f* track, trail
piteux pitiable
pitoyable pitiful, wretched
placard *m* wall cupboard
place *f* square, place, space; **faire — à** to give way to
plafond *m* ceiling
plage *f* beach
plaindre to pity, feel sorry for; **se —** to complain
plainte *f* moan; complaint
plaire to please, be pleasing
plaisanter to joke
plaisanterie *f* joke
plaisir *m* pleasure
plan *m* plan, map; plane, level; **de premier —** of prime importance
planche *f* board, plank
plancher *m* floor

planter to plant
plaque *f* plate, slab
plat *m* dish
plat flat
plateau *m* tray
plâtre *m* plaster
plein full
pleurer to weep, cry
pleuvoir to rain
pli *m* crease
plissé wrinkled
plomb *m* lead
plombé leaden; livid
plongeon *m* dive
pluie *f* rain
plume *f* pen
plupart *f* most, the majority
plus more, plus, in addition; **de —** besides; **de — en —** more and more; **le —** most, most of all; **ne... plus** no more, no longer, not again; **non —** (not) either; **— de** more than
plusieurs several
plutôt rather
poche *f* pocket
poignet *m* wrist
poil *m* hair, bristle
poindre to appear, come out
poing *m* fist
pointe *f* tip, point *(of land)*; **— d'orgueil** touch of pride
pointu shrill
pointure *f* shoe or glove size
poisson *m* fish
poitrine *f* chest
poli polite
policier *m* detective; policeman
pomme *f* apple
pommette *f* cheekbone
pont *m* bridge; deck
pont-levis *m* drawbridge
porte *f* door; **— cochère** vehicle entrance, gateway
portefeuille *m* wallet
porte-plume *m* pen-holder; pen
porter to carry, wear

porteur *m* carrier, bearer
portière *f* door (*of vehicle*);
  door-curtain
posé placed
posément calmly
poser to put in place; to pose
poste *f* post-office
poste *m* post, station — **de police**
  police station; — **de veille** lookout
  station
poterne *f* postern
pou *m* louse
poudre *f* dust, powder, explosive
  — **de riz** face powder
poulet *m* chicken
poulie *f* pulley
poupin rosy-cheeked; **visage** —
  baby face
pour for
pourchasser to pursue, be hot on the
  trail of
pourquoi why
pourrir to rot, decay
poursuite *f* pursuit
poursuivant *m* plaintiff
poursuivre to pursue; to continue
pourtant nevertheless, however, yet
pousser to push, impel, urge; to
  utter; to grow; to heave (*sigh*)
poussière *f* dust
poutre *f* beam
pouvoir to be able; **n'en** — **plus**
  to be tired out, exhausted
pratiquer to practice, perform; to
  employ, use, make; — **une**
  ouverture make an opening
précaution *f* caution, care; precaution
précédant preceding
précipiter se to rush, dash
préciser to state precisely, specify
prédire to predict
premier first; foremost
prendre to take
preneur *m* buyer, purchaser
près (de) near, close (to); **à peu** —
  almost; **de** — closely

présenter to introduce
presque almost
pressentiment *m* foreboding
presser se to hurry, be in a hurry
pression *f* pressure
prêt ready, prepared
prétendre to claim, assert
prêter to lend; — **attention** to pay
  attention
preuve *f* proof
prévenir to warn, inform
prévision *f* prediction
prévoir to foresee
prier to pray; to invite; **je vous en**
  prie! I beg of you! please!
prière *f* prayer
prime *f* premium, bonus
primeurs *f pl* early vegetables
printemps *m* spring
prise *f* catch
prix *m* price; **mise à** — *f* asking price
procédé *m* process, method,
  procedure
procéder to proceed, initiate
procès-verbal *m* summons; police
  report; **dresser** — to report (*a minor*
  offence)
prochain next
proche near
produire se to happen
professeur *m* teacher
profiter (de) to profit (from), take
  advantage (of)
profond deep
proie: en — **à** prey to
promenade *f* walk
promener se to take a walk, wander
  around
promeneur *m* stroller
promettre to promise
prononcer to pronounce, utter, say
propos: à — by the way, that
  reminds me; **à** — **de** about
proposition *f* clause
propre clean (*after noun*); own
  (*before noun*)

propreté f cleanliness, tidiness
provenir to issue, come, originate
prouver to prove
provisoirement temporarily
prunelle f pupil (*of eye*)
pudeur f modesty
puis then, next, afterward, besides
puisque since
puissant powerful
purger to pay off; to serve (*a sentence*)

Q

quadrillé ruled in squares
quai m wharf, embankment; railway platform
quand when; — **même** even so, just the same, nevertheless
quant à as for, regarding
quarantaine f about forty
quart m quarter, quarter hour
quartier m quarter, neighborhood; — **général** headquarters (*military*)
quelconque any (at all), any old; nondescript
quelque some; — **chose** something; — **fois** sometimes; — **part** somewhere; **quelques** a few, several
quelqu'un m somebody
quincaillerie f hardware business or shop
quignon m chunk, hunk (*of bread*)
quitter to leave; — **du regard** to take one's eyes off

R

rabattre to pull down
raccrocher to hang up; **se** — **à** to catch on to, clutch
racé thoroughbred
raconter to relate, tell
rade f roadstead (*for ships*)
raffermir to harden
rageur passionate, violent-tempered
rageusement ill-temperedly, violently

raide stiff
raidir to grow stiff, stiffen
raison f reason
râle m rattle (*in the throat*)
rallumer to relight
ramasser to pick up
ramper to creep, crawl
ranger se to settle down
rappeler to recall, remind, call to mind; **se** — to remember
rapport m resemblance, analogy, relationship; **être en** — **avec** to be in touch with
rapporter to bring in, bring back home; **se** — **(à)** to refer, relate (to)
rare rare, thin, scanty
raréfier se to become scarce
ras: au — **dc** (on a) level with; flush with; **au** — **des maisons** alongside the houses; **au** — **du sol** on the surface of the ground
ras close-cropped, short
raser to shave
rassurer to reassure
raté m failure
raté ineffectual, unconvincing
rater to fail, miss
ration f portion, allowance
rattraper to recapture, catch up with
rauque hoarse
ravi delighted
rayon m ray, beam
réagir to react
réaliser to effect, carry out, bring into being
récemment recently
récepteur m receiver
recevoir to receive
réchauffer to warm (up)
recherche f search, research
rechercher look for, seek
réclame f advertisement
réclamer to call for (something), demand, order
recoin m nook

recommencer to start again
reconduire to take back, see home
reconnaissant grateful
reconnaître to recognize; — à
  identify by
recouvert covered
recouvrir to cover over
recueillir to gather, collect; to receive,
  take in; to obtain
reculer to move back
rédacteur m newspaper man; — en
  chef editor-in-chief
rédaction f editorial staff
rédiger to write (an article)
redresser to straighten up
réduit m shed, retreat, nook
refaire to dupe, take in
réfléchir to reflect, think over
reflet m reflected light or image
refléter se to be reflected
refroidi chilled, grown cold
réfugier se to take refuge
regagner to regain, get back to
  (a place)
regard m look, glance
regarder to look at; to concern
règle f rule
règlement m regulation(s)
régner to prevail; to reign
regret: à — reluctantly
rein m kidney; m pl back
rejeter to throw back, reject;
  puff out (smoke)
rejoindre to rejoin, reunite;
  over-take
relâché relaxed, slack
relayer to relieve, take turns with
relever to take note of; to pick up,
  lift up
relier to bind, connect
reliure f binding
remarquer to notice, remark,
  observe
rembourser to pay, reimburse
remerciement m thanks
remercier to thank

remettre to put back, hand over;
  remettez-vous! calm yourself; se —
  à to begin again
remise f shelter, shed
remonter to go back up
remorque f towing; vessel being
  towed
remous m eddy, swirl
remparts m pl ramparts
remplacer to replace
remplir to fill
remuer to move (about)
rencontre: aller à la — to go to
  meet
rencontrer to meet
rendez-vous: donner — to make an
  appointment
rendormir to fall asleep again
rendre to give back, render; — visite
  to pay a vist, to go to see; se — to
  proceed, go (to a place); se —
  compte (de) to realize
renforcer to strengthen, reinforce
renfort m fresh supply
renifler to sniff
renseigné informed
renseigner se to make inquiries
renseignements m pl information
rente f private income
rentier m person of independent
  means
rentrer to come home, return; to
  draw, pull (in)
renversé leaning back
renverser se to lean back; to knock
  down, over
renvoyer to send back; to dismiss,
  "fire"
repartir to leave again
repas m meal
répéter to repeat
repeindre to repaint
replié folded, turned in
réplique f reply, fast answer
répliquer to reply, answer back
replonger to plunge again

répondre to reply, answer
réponse f answer
reposer se to rest
reprendre to retake, regain, recover;
  to repeat
représenter to portray, represent
réserve f reservation
résonner to ring, sound
respiration f breath, breathing
respirer to breathe
ressac m surf
ressembler to resemble
resserrer se to become tighter
ressort m spring; resistance, elasticity
ressortir to go out again
reste m rest, remainder, remains
rester to remain, stay
résumé m summary
résumer to summarize
rétablir se to recover, get well again
retenir to hold back; carry (in
  arithmetic); to reserve (room, etc.)
retentir to ring, reverberate
retirer to take off; to pull back
retomber to fall down, back
retour m return
retourner se to turn over, around
retraite f retirement
retrouver to find again
réuni put together, united
réunion f gathering, meeting
réussir to succeed
rêve m dream
réveiller se to wake up
révéler to reveal
revenir to return, come back; — de
  to get over
réverbère m street lamp
rêveur dreamy, pensive
revision f reconsideration
revoir to see again
rez-de-chaussée m ground floor
riant cheerful, pleasant
rideau m curtain
rien nothing
rieur laughing

rigoler to laugh (slang)
rigueur: tenir — à quelqu'un to
  refuse to relent toward someone
riposte f counter, counterstroke
rire m laughter, laughing, laugh
rire to laugh
river to rivet
rivière f river
robe f dress; — de chambre
  dressing gown
roche f rock
rocher m rock
rocheux rocky
rôder to prowl
rôdeur m prowler
roide = raide stiff; tight
rond round
ronde: à la — around
ronfler to snore
ronger to gnaw, nibble; to corrode
ronron m purr; hum
rose pink
rosette f rose-shaped knot of ribbon worn
  in buttonhole
rosser to thrash
rôti m roast
rôtir to roast
rouge red
rougeâtre reddish
rougir to blush
rouleau m:— compresseur steam
  roller
rouler to roll
roux, rousse reddish-brown; red
  (of hair)
rude rough, harsh, strong
rue f street
ruelle f alley; side street
ruisseau m gutter
ruisselant streaming
rumeur f din, noise
rythmé rhythmical

S

sable m sand
sac m bag

saigner to bleed
saillir to stand out
saisir to seize, grab, take hold of
saisissant striking
sale dirty; offensive
saligaud *m* bastard (*slang*)
salle *f* large room, hall; — **à manger**
  dining room
saluer to greet
sang *m* blood
sanglant bloody
sanglot *m* sob
sangloter to sob
sans without
santé *f* health
sapin *m* fir tree
sardinerie *f* sardine curing and
  packing plant
saucisson *m* sausage
sauf save, but except; — **que** except
  that
sauter to jump, leap, bounce; **faire —**
  to break, pry open
sautiller to hop about
sauver to save
savoir to know
savon *m* soap
savonneux soapy
scandé measured, rhythmical
schéma *m* diagram, outline
scintiller to sparkle
sciure *f*: — **de bois** sawdust
sec, sèche dry; sharp, curt
sécher to dry
secouer to shake
secousse *f* jerk, shake
secrétaire *m and f* secretary; — **de**
  rédaction sub-editor; — **général**
  general manager
séduire to seduce; to interest, charm
séduisant attractive; seductive
seigneur *m* lord; **jouer au grand —**
  to give oneself airs; to try to live like
  a lord
sein *m* breast, bosom
séjour *m* stay

sel *m* salt
selon according to
semaine *f* week
semblable resembling, like
sembler to seem
semelle *f* sole (*of shoe*)
semer to spread, scatter, sow
sempiternel eternal
sens *m* direction; sense, meaning;
  au — figuré figuratively; **au —**
  propre literally; **en tous —** in
  every direction
sensation *f* feeling
sensible sensitive; noticeable
sentiment *m* feeling
sentir to feel, smell
serein serene
sergent *m* sergeant; — **de ville**
  municipal policeman
sérieux serious, earnest; genuine;
  important
seringue *f* syringe
serrer to press, clasp, squeeze, clench
serrure *f* lock
servante *f* maidservant
serveuse *f* waitress
service *m* service; department,
  administrative authority; **de —** on
  duty
serviette *f* towel; napkin, briefcase
servir to serve; to wait on customers
  — **à** to be useful (for); **se — de** to
  use
seuil *m* threshold, doorway, doorstep
seul alone, only, more
seulement only; at least
si if, whether, so; yes (*only in
  contradiction*)
sidéré stunned, flabbergasted
siège *m* seat; — **avant** front seat
siffler to whistle
sifflement *m* whistling, wheezing
siffloter to whistle softly
signalement *m* physical description
  (*as of criminal*)
significatif significant

signifier to mean
silencieux silent
silhouette f outline, form
simple mere
sinon if not: other than
société f; — **anonyme** company, corporation; — **immobilière** building society
soie f silk
soif f thirst; **avoir** — to be thirsty
soigné well-groomed, dapper
soigner to look after, take care of
soir m evening
soirée f evening
sol m ground
soldat m soldier
soleil m sun
sombre dark
somme f sum
sommeil m sleep; **avoir** — to be sleepy
sommet m peak, summit
sommier m file of police records
son m sound
sonde f sounding line, plummet
songer to dream; — **à** to think of
sonner to sound, strike
sonnerie f ringing; phone bell
sonnette f house bell (*here, with a cord*)
sonore resonant
sort m lot, fate
sorte f kind, type; **de la** — in the manner (of), in that manner; **en quelque** — in a manner of speaking, so to speak
sortie f going out; exit; **jour de** — day off
sortir to go out, come out, take out, pull out
sou m penny (*formerly, 20th part of a franc, or 5 centimes*)
soucoupe f saucer
soudain sudden, suddenly
souffle m breath, sound of breathing
souffler to breathe, utter, whisper

souffreteux sickly
souffrir to suffer
soufre m sulphur
souillon f kitchen maid
soûl drunk
soulever to raise up, lift; **se** — to rise, go up
soulier m shoe
souligner to underline
soupçon m suspicion
soupçonner to suspect
soupir m sigh
soupirer to sigh
sourcil m eyebrow
sourciller to wince
sourd deaf; dull, muffled
souriant smiling
sourire to smile
sournois sly, cunning
sous under
sous-louer to sublet
sous-main m blotting pad
sous-titre m sub-headline
souvenir m memory
souvenir : se — **de** to remember
souvent often
station f : — **balnéaire** seaside resort
stationner to stop, park; to take up a position
sténo (= **sténographe**) m and f stenographer
store m window blind
strapontin m flap-seat, folding seat
studio m one-room apartment
stupeur f amazement, stupor
stylo m fountain pen
subir to undergo
succéder to follow after
sucré sweet
sueur f sweat, perspiration
suffire to suffice, be enough
suite f consequence; **à la** — **de** following
suivant following
suivre to follow

sujet *m* subject; **au — de** about
supplier to implore
supprimer to suppress
sur on, upon, over, above; toward, against, out of, in, at; about, concerning
sûr sure
surcroît : **par —** to boot, besides
sûreté *f* safety, security; **Sûreté Générale** *department of criminal investigation, comparable to the F.B.I.*
surgir to rise, come into view, appear
surimpression *f* double-exposure
surmonter to rise above
surnaturel supernatural
surnommé called, nicknamed
sursauter to give a start, jump
surtout especially
surveillance *f* supervision
surveillant *m* supervisor, overseer
surveiller to watch over, supervise
survenir to occur
susceptibilité *f* sensitiveness, touchiness
se suspendre to hang on to, tug at
suspendu hung
sympathie *f* good feeling, sympathy, instinctive attraction
syndic *m* agent

T

tabac *m* tobacco
table *f* : **— d'hôte** *meal at fixed time and price*
tableau *m* board, indicator
tablée *f* people at the same table
tablier *m* apron
tache *f* stain, spot
tacheter to mark with spots
taille *f* stature, height, figure; **être de — à** to be big or strong enough to; to be up to
tailler to cut
taire se to hold one's tongue, be silent
talon *m* heel

tamponner to dab
tandis que while
tant so much, so many, as many; **— mieux** so much the better; **— que** as long as
tantôt sometimes
taper to put the squeeze on (*slang*); to borrow money; to tap, hit, slap
tapir se to crouch
tapis *m* carpet
tapoter to pat
tard late
tarder to delay
tas *m* pile, stack
tasse *f* cup
tatouage *m* tattoo
teint *m* complexion
teinte *f* shade, color
tel such
tellement so, to such an extent
témoin *m* witness
tempête *f* storm
temps *m* time; **à —** just in time; **de — en —** from time to time; **le bon (vieux) —** the good old days; **se donner du bon —** to have a good time
tendre to stretch out, extend
tendresse *f* tenderness
tenez! look here!
tenir to hold, keep; **— à faire quelque chose** to be anxious, desire strongly to do something
tentative *f* attempt
tenter to attempt, try; to tempt
tenture *f* tapestry, hanging
tenue *f* dress, attire; **en — de** dressed as
terne dull, lusterless, lifeless
ternir se to grow dull, leaden
terrain *m* land, property
terre *f* earth, land, property; **par —** on the ground, on the floor
Terre-Neuve *f* Newfoundland; **terre-neuve** *m* Newfoundland dog
terre-plein *m* earth platform, terrace

terreux dull, ashen
tête *f* head; — **nue** bareheaded
têtu stubborn
thé *m* tea
tiédeur *f* tepidity, lukewarmness
tiens! well! (*expression of surprise*)
tiers *m* third
timbre *m* postage stamp; bell
timbré sonorous, resonant
tintamarre *m* din, noise
tirailler to pull about, back and forth
tiré drawn, haggard
tirer to pull, pull out, stretch, draw;
to fire (*a shot*); **se — de** to extricate
oneself, get out of; — **à sa fin** to
draw to a close; — **les cartes** to tell
fortunes by cards; — **parti de** to
make use of, turn to account
tiroir *m* drawer
titre *m* heading; title
toile *f* linen cloth; — **cirée** oilcloth
toilette *f* dressing table; **faire sa —**
to dress
toit *m* roof
tomber to fall
ton *m* tone, pitch
tondre to clip (*hair, hedge*)
tonnerre *m* thunder; — **de Dieu!**
good God!
toque *f* chef's cap
torse *m* torso
tort : avoir — to be wrong
tôt early
totaliser to add up
toucher to touch
toujours always, still
tour *f* tower; *m* turn; **à qui le —?**
who will be next?; **à son —** in his,
(her) turn; **faire le —** to walk or go
around; **faire un —** to take a walk;
— **à —** in turn
tourbillon *m* swirl
tournant *m* turn, bend
tournée *f* round (*of drinks*)
tourner to turn; — **le cœur** to
nauseate

tournevis *m* screwdriver
tousser to cough
toussoter to have a slight cough
toussotement *f* slight cough
tout all, any, each every, everything;
à — à l'heure so long; **du —** at all
tous les deux both; — **à fait**
entirely, quite; — **à l'heure**
shortly, a little while ago; — **aussi
bien** just as well; — **fait** ready
made; — **le monde** everybody
trac *m* fright, stage fright
trace *f* footprint
traduire to translate; **se —** to
manifest, show, find expression
trafiquer to deal, trade
trahir to betray
train *m* train, pace; **à ce — là** at that
rate; **être en — de** to be engaged in
be in the act of doing something; —
de maison style of living; — **de vie**
manner of living
traînée *f* trail, track
traîner to drag; to lie around
se — to drag on
trait *m* feature (*of face*), line; gulp
traiter to treat
tranchée *f* trench
trancher to contrast strongly
tranquille quiet; **laissez-moi —!**
leave me alone!
transcrire to transcribe
transmettre to transmit
trappe *f* trap door
trapu stocky
traquer to track down, hunt down
travail *m* work
travailler to work
travaux *m pl* construction; — **forcés**
hard labor
travers : à — through, across; **de —**
askance, askew, awry
traversée *f* crossing
traverser to cross, cross over
tremper to dip in, wet, soak
trépignant prancing (*with emotion*)

très very
tressaillement *m* start, quiver, thrill
tressaillir to give a start, shudder
trêve *f* respite
tribunal *m* court of law
tricot *m* knitted jersey
triste sad
tromper se to be mistaken, make a mistake
trop too, too much, too many
trottoir *m* sidewalk
trou *m* hole
trouble *m* confusion; uneasiness
trouble hazy, unclear; uneasy, confused
troubler se to falter, get confused
trouver to find; se — to be, be located, find oneself, happen to be
truffe *f* nose (*of dog*)
tuer to kill
turpitude *f* shameful or immoral action
tuyau *m* tube, stem; a "tip"
type *m* type, fellow, guy

U

ululement *m* hooting
ululer to hoot
un: — à — one by one
unique sole, only, single
urgence: d'— immediately
usage *m*: à l'— de for the use of
usine *f* factory
utile useful

V

vacarme *m* uproar, loud noise, din
vache *f* cow
vaciller to stagger
vaincre to conquer
vaisselle *f* the dishes; faire la — to wash the dishes
valable valid
valeur *f* value; mettre en — to develop

valoir to be worth; to gain; il vaut mieux it is better; — la peine to be worth the trouble
vapeur *f* steam
varier to vary
vase *f* mud, slime
veau *m* calf; veal
vedette *f* small motor boat
veille *f* evening, day before
veiller to watch over, see to
veilleur *m* watchman
veilleuse *f* night light
velléité *f* slight desire, impulse
velours *m* velvet
vendeuse *f* salesgirl
vendre to sell
venelle *f* alley
vénéneux poisonous
venger to avenge
venir to come; — de to have just
vent *m* wind
vente *f* sale
venter to blow, to be windy
ventre *m* belly
verdâtre greenish
vérité *f* truth
verre *m* glass; — à pied stemmed glass
verrerie *f* glassware
verrou *m* bolt
vers towards, about
versant *m* side, slope
verser to pour; to deposit, pay in
vert green
veston *m* jacket
vêtement *m* article of clothing; *pl* clothes
veuve *f* widow
viande *f* meat
vibrer to vibrate, ring
vide *m* empty space; emptiness
vide empty
vider to empty, drain; se — to become empty
vie *f* life
vieillard *m* old, elderly man
vieille *f* old woman

vieux *m* old man, old chap
vieux, vieille old
vif lively, brisk; bright (*color*)
vilain nasty, unpleasant; wretched
ville *f* town, city; **— d'eau** resort, spa
vin *m* wine
vingtaine *f* about twenty
visage *m* face; **— en lame de couteau** hatchet face
vis-à-vis opposite
viser to aim at
visière *f* visor
vite fast, swift; quickly
vitesse *f* speed; **à toute —** at full, high speed; **en —** with all speed, as fast as possible
vitrail *m* leaded (stained) glass window
vitre *m* windowpane
vitrine *f* show window; glass-fronted cupboard
vivant alive, living
vivement briskly, sharply
vivre to live
voeu *m* wish
voici here is, here are
voilà there is, there are; **— une demi-heure** half an hour ago
voile *f* sail
voilier *m* sailing ship; sail maker
voir to see
voire indeed; even
voisin *m* neighbor
voisin neighboring
voisinage *m* neighborhood; **relations de bon —** neighborliness

voiture *f* vehicle, car
en — by car
voix *f* voice
à mi — in a low voice, under the breath
voler to steal; to fly
— à to steal from
volet *m* shutter
volontairement wilfully; willingly
volonté *f* will
volontiers willingly
volte *f* : **faire — complète** to turn completely around
vouloir to wish, want; **— dire** to mean; **en — à** to bear a grudge against
voûte *f* vault, arch
voyage *m* trip, journey
en — on a trip
voyager to travel;
faire — to transport
voyageur : *m* **— de commerce** traveling salesman
vrai true, real
vraisemblable probable, likely
vue *f* sight; **à — d'œil** visibly, rapidly; **en — de** with a view to, because of
vulgaire ordinary, common

Y

y there
yeux *m pl of* **œil** eyes; **avoir les — battus** to have rings or circles around one's eyes